shute à Blondeau — sortie #5

D1507144

1/20

# Les défis de la soixantaine

DU MÊME AUTEUR
aux Presses de la Renaissance

*Se purifier pour renaître*, 2004.
*Prier : pourquoi et comment*, en coédition avec Novalis, 2006.
*Du temps pour prier*, en coédition avec Novalis, 2007.
*Prier avec son corps*, en coédition avec Novalis, 2007.
*L'Eucharistie, source de la prière chrétienne*, en coédition avec Novalis, 2008.
*Prier en couple et en famille*, 2008.


chez d'autres éditeurs

POÉSIE
*L'oraison des saisons*, Le Bien Public, 1978.
*Dégel en noir et blanc*, Le Bien Public, 1978.
*À la rencontre de mai*, Le Bien Public, 1979.
*Les heures en feu*, Éd. Paulines/Apostolat des Éditions, 1981.
*Au clair de l'œil*, Écrits des Forges, 1985 (Prix Marcel-Panneton).
*Icônes du Royaume, petit sanctoral*, Le Levain, 1989.
*La joie blessée*, Écrits des Forges, 1992.
*Les lieux du cœur*, Le Noroît, 1993.
*Consentir au désir*, Écrits des Forges, 1994.
*Marcheur d'une autre saison*, Le Noroît/Le Dé bleu, 1995.
*Ce jour qui me précède*, Le Noroît, 1997 (Prix de poésie de l'Alliance française d'Ottawa-Hull).
*L'empreinte d'un visage*, Le Noroît, 1999 (Prix Outaouais-Café Quatre Jeudis).
*L'invisible chez-soi*, Le Noroît, 2002.
*Pêcher l'ombre, Haïkus*, David/Le Sabord, 2002.
*Haïkus aux quatre vents*, David, 2004.
*Chemins du retour*, Écrits des Hautes-Terres, 2006 (Prix Jacques-Poirier).
*L'ensoleillé*, Éditions du passage, 2008.

Ouvrages suivants en fin de volume

Jacques Gauthier

# Les défis de la soixantaine

PRESSES
DE LA
RENAISSANCE

Ouvrage réalisé
sous la direction éditoriale de Christophe Rémond

Si vous souhaitez être tenu(e)
au courant de nos publications,
envoyez vos nom et adresse, en citant ce livre,
aux Éditions des Presses de la Renaissance,
11, rue de Grenelle, 75007 Paris.
Et, pour le Canada,
à Interforum Canada inc.,
1055, bd René-Lévesque Est,
11ᵉ étage, bureau 1100,
H2L 4S5 Montréal, Québec.

Consultez notre site Internet :
www.presses-renaissance.com

ISBN 978.2.7509.0429.6

*À vous, mes confidents et confidentes, complices dans l'aventure humaine, je dédie ces pages qui constituent un art de vivre au présent.*

« Il ne faut pas neuf mois, il faut soixante ans pour faire un homme, soixante ans de sacrifices, de volonté, de… de tant de choses! Et quand cet homme est fait, quand il n'y a plus en lui rien de l'enfance, ni de l'adolescence, quand vraiment, il est homme, il n'est plus bon qu'à mourir. »

André Malraux, *La condition humaine*

# Introduction

**L**a vie humaine est un chemin en perpétuelle transformation avec ses lignes droites et ses tournants, ses montées et ses descentes. Nous marchons plus ou moins seuls dans ce voyage unique, car la route varie pour chacun d'entre nous. Rien n'est tracé d'avance. Naître, grandir et mourir en sont les grands mouvements. Nous avançons en franchissant des étapes et en relevant les défis inhérents à chaque âge : l'enfance, l'adolescence, l'âge adulte, la vieillesse. Chaque seuil franchi comporte une crise de croissance par laquelle l'individu se fait ou se défait, grandit ou régresse, s'ouvre ou s'enferme.

> Les âges de la vie sont séparés par des crises. Ils représentent des formes fondamentales de l'existence humaine, des façons caractéristiques de la vie de l'homme aux diverses périodes de sa route, de la naissance à la mort. Manières de sentir, de voir, de se comporter en face du monde. Ces ensembles de caractères sont si nettement marqués qu'au lieu de passer simplement d'une phase à l'autre, l'homme doit, chaque fois, à chaque degré, se détacher, ce qui peut être difficile au point de pouvoir être dangereux. Ce passage peut être lent ou rapide.
>
> (Romano Guardini, *Les âges de la vie*, Cerf, 1976, p. 41)

Des psychologues et auteurs comme Erickson, Jung, Levinson et Sheehy ont montré que la vie adulte est composée de périodes, de stades qui surviennent principalement autour des décennies (trentaine, quarantaine, cinquantaine, soixantaine). L'idéal est de passer le cap sans trop prolonger l'étape. Les crises à traverser sont vécues différemment selon les contextes socioculturels. Elles poussent la personne à se renouveler de l'intérieur, à découvrir une nouvelle façon d'être. Les éléments déclencheurs sont multiples : une naissance, un décès, une maladie, une rupture, un licenciement, un échec, un changement hormonal, une insatisfaction profonde...

La crise est donc une opportunité qui permet de trouver un nouvel équilibre. Elle nous conduit normalement à une plus grande maturité et sérénité. Chaque dépassement est ressenti comme de petites morts qui nous dépouillent, des moments pénibles qui nous redéfinissent, des occasions de croissance qui nous aident à renaître, car nous n'avons jamais fini de nous développer, de nous transformer.

Ce livre sur la soixantaine se situe dans la foulée de mon essai *La crise de la quarantaine*, publié dix ans plus tôt. Il n'y a pas de commune mesure entre ces deux étapes de l'âge adulte. La première, plus tourmentée, est perçue comme «une seconde adolescence», une crise du désir où tout est remis en question; la deuxième, plus sereine, est celle de l'intégration des valeurs, de la récolte de ce que l'on a semé, de la «fécondité» intérieure. Cette «sérénité dynamique» suppose que la quarantaine a bien été assumée, ni fuie, ni oblitérée, ce qui aurait pour conséquence de fâcheux retours de bâton quelques années plus tard. On ne peut pas toujours vivre coupé de soi-même, sans connaître son désir profond, sans communier à sa source intérieure, sans boire l'eau de son propre puits. Chaque étape réussie est l'occasion d'un retournement intérieur, d'une mutation. Cette transformation nous donne une plus grande énergie, une nouvelle joie, un sens accru de la liberté.

Certains ont pu dire que la vie était séparée en deux : avant quarante ans et après. Selon le psychologue américain Daniel Levinson, cette étape de la quarantaine est la plus importante des transitions chez l'homme[1]. Ses études empiriques, menées auprès de sujets masculins, ont montré que la pointe de la crise se situe habituellement entre trente-huit et quarante-trois ans. Elle peut durer jusqu'à cinquante-cinq ans. Cette phase de transition sert de pont entre le jeune adulte, homme ou femme, et l'adulte de l'âge mûr.

---

[1] Daniel J. Levinson, *The Seasons of a Man's Life*, New York, Ballantine Books, 1979.

Les Romains appelaient *senex* l'homme de soixante ans, d'où le joli terme de sénilité. On était vieux à soixante ans, mais ce n'est plus le cas aujourd'hui, bien sûr.

Dans ce livre, il faut comprendre la soixantaine comme un âge qui s'échelonne de cinquante-cinq à soixante-cinq ans. Cette période arrive souvent après l'andropause et la ménopause. C'est normalement l'étape de la retraite, le temps d'être grands-parents, le début des signes du vieillissement et de la sécheresse spirituelle pour beaucoup, l'accueil de ses propres limites et de l'acceptation de la mort. Chaque individu vit ce stade différemment, bien sûr, selon le bilan qu'il fait de son passé et l'orientation qu'il veut donner à son avenir. Tout dépend de sa santé physique et financière, de son évolution psychologique et de son cheminement spirituel. Cette étape peut être ennuyeuse et pénible si l'on reste inactif et amer, ou épanouissante, si l'on a des projets et que l'on demeure vraiment acteur de sa vie.

La soixantaine affecte autant les femmes, qui ont à faire le deuil d'une certaine jeunesse, que les hommes, qui s'interrogent sur leur virilité. Pensons au succès grandissant des crèmes antirides et des pilules comme le Viagra. À l'heure où les *baby-boomers* prennent leur retraite, on remarque une frénésie de vivre qui peut être le signe de la peur de vieillir. Il y a illusion à vouloir jouer le jeu de la performance à un âge où l'éparpillement ne comble plus.

La soixantaine peut être l'occasion d'une plus grande liberté intérieure si nous savons en relever les défis. Cet âge invite à faire le tri de ce que nous avons accumulé, à l'intériorité, au silence qui nourrit l'âme, à l'unité entre les différentes parties de notre être physique, psychique, social, professionnel et spirituel. Le désir d'aimer devient le seul qui importe vraiment. Ses fruits sont l'accueil de soi et de l'autre, l'amitié et la tendresse, la sagesse et la sérénité.

*
* *

Ce livre se présente comme un guide d'accompagnement pour les personnes qui approchent de la soixantaine ou qui la dépassent. Il ne se réduit pas à des recettes et à des réponses toutes faites, car elles sont différentes pour chacun. L'objectif est simple : comprendre le passage de la soixantaine pour mieux le vivre comme une rencontre avec soi-même, les autres, l'univers, et Dieu si l'on est croyant.

Le premier chapitre dégagera quelques attitudes importantes pour bien passer ce cap : assumer son passé, écouter sa blessure, reconnaître sa faiblesse, accueillir sa fragilité, s'émerveiller, désirer aimer, s'abandonner au désir de Dieu.

Le chapitre suivant sera consacré à l'andropause et à la ménopause, phénomènes naturels qui précèdent l'entrée en soixantaine. L'andropause, beaucoup moins connue que la ménopause et qui est aussi un tournant pour l'homme, sera abordée plus longuement.

La soixantaine est marquée par la retraite et la joie de devenir parfois grands-parents, sujets des chapitres 3 et 4. La retraite : défi ou épreuve ? Elle demande sûrement un réaménagement dans le couple, une gestion du temps qui soit en accord avec le sens que l'on donne à sa vie. C'est une pause pour mieux reprendre son élan. Devenir grands-parents est une joie singulière. Pour le vivre moi-même depuis quelques années, je peux témoigner que tenir dans ses bras l'enfant de son enfant procure des sentiments profonds et nouveaux. Les questions d'appartenance à une famille, d'enracinement, de transmission, d'éveil à la foi, seront traitées en lien avec la vie d'aujourd'hui.

Le cinquième chapitre abordera la réalité du vieillissement, en ces temps où l'espérance de vie progresse sans cesse. À quel âge commence-t-on à être vieux ? Certainement pas dans la soixantaine. Mais y a-t-il un art du vieillissement ? Vieillir et vivre peuvent-ils aller de pair ? Comment aborder « la vie montante » en évitant le leurre de la jeunesse ?

Ce passage de la soixantaine pose aussi la question de la spiritualité, c'est-à-dire de la manière dont la personne vit son expérience humaine et spirituelle. Qui dit spiritualité, dit vie, esprit, souffle, amour, dynamisme, intériorité. La vie spirituelle n'évolue pas parallèlement à notre vie quotidienne, elle est en croissance avec et en nous. Mais que faire lorsque Dieu semble absent ? Au sixième chapitre, nous proposerons dix pistes à suivre pour traverser ce désert spirituel que nous connaissons tous un jour ou l'autre.

Au septième chapitre, nous passerons en revue quelques caractéristiques des âges de la vie, surtout celles de l'âge adulte : l'enfance et la conscience d'amour, l'adolescence et la quête de sens, la trentaine et l'accueil de la vie, la quarantaine et la crise du désir, la cinquantaine et la force d'un second souffle, la soixantaine et la voie de l'intériorité, la vieillesse et l'approche de la mort.

Le dernier chapitre sera réservé à « notre sœur la mort », selon l'expression de François d'Assise. Elle est réelle dès la naissance et nous suit tout au long des âges de la vie. L'accepter c'est vivre vraiment, corps et âme. La mort sera présentée dans une perspective chrétienne, c'est-à-dire comme une œuvre d'amour, une nouvelle naissance, une résurrection.

Un poème conclura chacun de ces huit chapitres pour mieux les ouvrir sur un horizon de désir et d'intériorité. La poésie nous tend la main au quotidien comme une amie fidèle pour sécréter du sens et construire l'humain là où il est planté. Nous pouvons faire de la soixantaine une œuvre d'art si nous savons découvrir l'insolite et l'imprévu cachés dans la beauté des jours ordinaires.

# 1
# Le cap
# de la soixantaine

Lorsqu'on est jeune, à quinze ans, vingt ans, on croit qu'on aura tant de temps, plein de temps devant nous, mais la vie passe comme un éclair et nous sommes surpris d'arriver à la soixantaine.

André Daigneault, *La mémoire du cœur*

La vie est une longue succession d'étapes, de phases, qui va de la naissance à la mort, de l'enfant au vieillard. Chaque décennie a ses caractéristiques. Mais la vie n'est pas la somme de ces passages et de ces traits distinctifs, elle est entière à chaque âge, du commencement à la fin.

Soulignons quelques attitudes qui semblent importantes à développer entre cinquante-cinq et soixante-cinq ans. Tous ne vivent pas cette période de la même façon, bien sûr, mais on peut la vivre comme une croissance psychologique et spirituelle.

## Assumer son passé

Un ami me confia récemment qu'il n'avait rien ressenti de particulier lorsqu'il avait atteint le chiffre des soixante ans, si ce n'est la fête qu'on lui avait organisée pour bien marquer ce passage. Ce fut quelques mois plus tard qu'il s'étonna de son âge. Il en profita pour faire le bilan de sa vie. Des blessures oubliées remontèrent à la surface. Il revisita les saisons les plus sombres de son existence et assuma ainsi son passé.

Plusieurs sexagénaires ressentent ce besoin de s'arrêter et de faire le bilan de leur vie pour mieux s'unifier. C'est ce que Jung appelle la voie de « l'individuation » qui est la réalisation de son Soi, ce qu'il y a de plus personnel en nous et qui résiste à toute comparaison. L'énergie psychique employée dans le passé au déploiement de l'ego est redirigée à la faveur d'un développement beaucoup plus grand de toute la personnalité. On quitte une image de soi réductrice, moins idéalisée; l'être est restructuré à partir du noyau de l'identité personnelle.

Il n'existe pas de recettes et de cadres spécifiques pour ce travail d'individuation où chacun devient ce qu'il est appelé à être en intégrant les aspects fragmentés de sa personnalité. Certains y arrivent en partageant avec un ami ou en s'entretenant avec une personne digne de confiance. D'autres font le point en passant quelques jours de silence dans un monastère ou dans la nature, en écrivant les grandes lignes de leur vie ou un énoncé de mission personnelle.

Certes, nous ne pouvons pas changer le passé, mais nous pouvons l'accepter. Notre comportement découle de la façon dont on assume ce passé. S'il y a quelque chose à changer, c'est d'abord en soi-même. C'est le temps de se demander : Quel est maintenant l'objectif de ma vie? Quelle est la motivation fondamentale qui me fait agir? Qu'est-ce que j'aimerais que les autres retiennent de moi après ma mort?

L'occasion est bienvenue à la soixantaine d'intégrer les blessures psychologiques du passé, ce côté mal aimé de soi et imparfait, enfoui dans l'inconscient, que Jung appelle «l'ombre». La peur nous empêche souvent d'explorer ce trésor enseveli dans le passé : peur de ne pas être aimé et reconnu, peur de faire rire de soi et d'avoir honte, peur de ne pas être à la hauteur de la situation et de ne pas réussir, peur de déranger et de s'affirmer, peur d'être exclu et isolé, peur de vieillir et de mourir, peur du néant et de Dieu. L'Évangile nous apprend que l'amour de Dieu bannit toute crainte. Cet amour gratuit ne demande qu'à être reçu sans mérite, sans honneur, sans pouvoir.

Le sexagénaire qui a assumé son passé sait mieux faire la différence entre les choses qu'il ne peut pas changer et celles qu'il peut changer, selon cette prière que les Alcooliques Anonymes ont rendue célèbre : «Mon Dieu, donne-moi la sérénité d'accepter les choses que je ne puis changer, le courage de changer les choses que je peux et la sagesse d'en connaître la différence. » La question est de savoir quelles sont les choses que nous devons accepter et celles que nous pouvons changer si nous voulons progresser.

Notre passé n'est pas parfait. Il contient des parts d'ombre refoulées qu'on voudrait bien oublier, au lieu de les aimer. Pourtant, ce sont ces moments de souffrance qui révèlent le mieux notre mystère d'être limité et fragile. Renouer avec son passé, c'est ne pas occulter les blessures, mais en faire un chemin de connaissance de soi et de l'autre. Il faut de l'humilité pour l'accepter, car on ne peut changer que ce que l'on a d'abord accepté. Sainte Thérèse de Lisieux a bien compris cette loi psychologique lorsqu'elle écrivait qu'il fallait supporter avec douceur ses imperfections et se réjouir de ses faiblesses.

Dire oui à son passé, c'est vivre le présent d'une promesse qui engage l'avenir. Pour les croyants, c'est redécouvrir que Dieu est toujours là à leurs côtés, luttant avec eux dans les nuits plus noires.

Si quelques-uns se disent qu'ils n'ont pas réussi dans la vie, il est toujours temps de la réussir à présent.

Dieu, qui est reconnu dans le Nouveau Testament comme un père compatissant, donne la vie en abondance, jusque dans l'éternité.

> Quels que soient les échecs, les souffrances, les trahisons, les déceptions d'une vie d'homme, il peut encore lever son front humilié et découvrir dans la tendresse d'un père le monde nouveau qu'il lui propose de créer encore pour réussir sa vie.

(Jacques Leclercq, *Le jour de l'homme*, Seuil, 1976, p. 68)

## Écouter sa blessure

Chacun porte en soi une blessure qui le rend fragile et vulnérable. Elle est différente de celle de l'autre, car nous n'avons pas eu la même enfance, la même famille ou la même histoire. Cette blessure peut être le chemin que l'autre prend pour toucher notre cœur profond. L'acceptation intérieure de notre blessure conduit à la guérison, à la paix, à la sérénité, à l'accueil de la blessure de l'autre. André Daigneault, prêtre dans un Foyer de charité à Sutton au Québec, évoque cette blessure qui peut prendre différents aspects :

> Le refus de nos limites, la non-acceptation de notre passé, de notre milieu, de notre enfance, de notre jeunesse ; le masque sous lequel on essaie de s'abriter pour cacher notre vulnérabilité, la révolte devant la maladie, nos défauts de caractère, la non-acceptation du déclin de nos forces, du vieillissement qui commence à se faire sentir, une faiblesse de caractère qui nous humilie...
>
> (André Daigneault, *La mémoire du cœur*, L'Emmanuel, 2007, p. 25)

Nous sommes et nous resterons imparfaits. Le reconnaître, c'est faire œuvre de vérité, donc d'humilité, et tracer un sentier de liberté à même notre blessure. À chaque personne de faire de la soixantaine une expérience d'estime de soi ou d'apitoiement, une occasion d'accepter les autres tels qu'ils sont, ou un repliement sur soi-même, un dialogue fructueux avec le meilleur de soi ou une fuite dans le divertissement qui détourne de l'essentiel, un accueil de la faiblesse ou un jugement sur celle des autres, la recherche excessive de leur reconnaissance, l'expression des talents ou l'obsession de la performance.

Ces choix ne peuvent se prendre lucidement qu'en se posant cette double question : qu'est-ce que je fais de ma blessure et comment la reconnaître ? Elle vient souvent d'un manque d'amour, qui remonte la plupart du temps à l'enfance, et qui prend plusieurs visages : sentiment de rejet, manque de confiance, besoin d'être reconnu, recherche excessive d'affection, complexe face aux autres, peur d'être abandonné, angoisse de la mort. Les causes possibles sont multiples, selon notre histoire personnelle : relations possessives, agressions sexuelles, violences physiques et verbales, difficultés à l'école, humiliations au cours d'activités sportives, manque d'encouragement, maladies et handicaps, perte d'un être cher...

## Apprendre à se pardonner

L'exemple de cette femme qui a vécu un avortement peut nous éclairer. À vingt-cinq ans, elle avait interrompu une grossesse non désirée, cédant aux pressions de la famille et de son entourage. Elle fit son IVG – mot qui fait moins mal que l'autre – dans une grande solitude et une profonde tristesse. Elle tenta d'oublier son geste, le cachant derrière une carrière réussie. Elle s'est mariée et a eu deux enfants. Lorsqu'elle prit sa retraite à cinquante-neuf ans, la blessure remonta d'une manière inattendue. Elle ne pouvait plus taire cette question terrible : «Quel âge aurait-il aujourd'hui?» Elle écouta sa blessure qui avait laissé des traces jusque dans son inconscient. Elle en prit soin et la transforma en tendresse. Elle se pardonna à elle-même, avec l'aide d'un prêtre, et elle reçut le pardon de Dieu, non sans verser des larmes qui la lavèrent de sa souffrance. Elle s'engagea par la suite dans un centre qui accueillait les femmes qui avaient avorté. Son acte n'était pas une échappatoire, car elle s'engageait en toute liberté pour les jeunes mères endeuillées.

 ## Pour les chrétiens

Ne nous décourageons pas si nous souffrons de notre blessure, mais osons reconnaître ce qui nous manque. La blessure crée un espace en nous qui est un vide et en même temps une ouverture que la Parole de Dieu féconde. Nous découvrons que Dieu se sert souvent de notre impuissance pour agir. Notre blessure est l'entaille par où entre la lumière du Christ, qui est venu «non pour les justes mais pour les pécheurs» (Matthieu 9, 13[1]). Il nous aime plus que nos imperfections. «Heureuse faute qui nous a valu un tel Rédempteur», chante l'Église à l'Exultet de la Veillée pascale. Devant tant d'amour, il

1· Les références bibliques renvoient toujours, dans la Bible, au nom du livre, suivi du numéro du chapitre et de celui (ou ceux) du (ou des) versets. Nous avons choisi la traduction liturgique de la Bible, celle à laquelle l'Église des pays francophones se réfère pour sa prière.

reste nos larmes de douleur et de joie qui nous humanisent, si nous n'avons pas étouffé cette faculté de pleurer, nous rappelle le docteur Arthur Janov :

> Il arrive que le refoulement des larmes soit installé en nous depuis si longtemps qu'on ne puisse plus recouvrer ses larmes. Ceux qui sont dans ce cas-là sont des candidats tout désignés à de graves maladies. J'ai vu disparaître pas mal d'allergies et de maladies à partir du jour où mes patients avaient retrouvé la faculté de pleurer.
>
> (Arthur Janov, *Revivre et vaincre sa souffrance*, Presses de la Renaissance, 1992)

Jésus, qui avait un cœur de chair, a pleuré sur Jérusalem et à la mort de son ami Lazare. Il a montré que Dieu le Père transforme toute blessure, toute faiblesse, en merveille de sa miséricorde, en miracle de sa tendresse. Le défi est de se savoir digne d'être aimé, malgré et à cause de nos blessures. Il est si facile de se haïr, écrivait Bernanos à la fin du *Journal d'un curé de campagne* :

> Il est plus facile que l'on croit de se haïr. La grâce est de s'oublier. Mais si tout orgueil était mort en nous, la grâce des grâces serait de s'aimer humblement soi-même, comme n'importe lequel des membres souffrants de Jésus-Christ.
>
> (Georges Bernanos, *Œuvres romanesques*, Gallimard, coll. « Bibliothèque de la Pléiade », 2002, p. 1 258)

. . . . . . . . . . . . . . . . . . . . . . . . . . . . . . . . . . . . . .

## Reconnaître sa faiblesse

À soixante ans, le meilleur de soi se trouve dans la reconnaissance de notre faiblesse. Elle nous réconcilie avec notre vulnérabilité. On lui fait une place dans notre maison, car elle nous ouvre à ce qu'il y a de plus vivant en nous. Par elle, nous grandissons, nous devenons plus humains, donc plus divins. Notre faiblesse devient notre force, comme le dit saint Paul. Grâce à elle, nous n'avons plus rien à prouver à personne, même si quelquefois nous résistons au changement. Nous cessons de nous agripper aux images idéales que nous avons de nous-mêmes, des autres, de Dieu, pour en adopter des différentes. Nous ne cherchons pas l'efficacité à tout prix, mais la joie de ce qui nous fait vibrer : l'art, le bénévolat, la lecture, la prière, la rencontre, le service, le sport…

La joie est au début, au milieu et à la fin de notre faiblesse accueillie comme une grâce. Elle nous guérit à force de larmes, sans que nous nous sentions coupables d'avoir pleuré. Elle s'exprime à travers nos talents, avec ce qu'il y a de beau et d'unique en nous : l'amour. La joie jaillit d'un cœur libre qui ne se regarde pas et qui se sait aimé.

Nous pouvons alors révéler la beauté qui se cache en l'autre. Car si nous sommes précieux à nos propres yeux, l'autre a aussi une valeur en soi. Nous pouvons nous réjouir de sa présence dans nos vies. N'est-ce pas cela aimer ? Se réjouir, s'émerveiller, révéler la beauté de l'autre.

Regardons les personnes que nous admirons. Elles sont devenues fortes de leurs faiblesses, désarmées par les blessures, transparentes au sens des choses, car elles ont surmonté la souffrance par l'amour. Cette liberté de l'amour est le meilleur stimulant de notre épanouissement. L'amour seul nous fait rayonner parce qu'il nous désarme et nous dépossède, comme l'exprime si bien Athénagoras (1886-1972), patriarche œcuménique de Constantinople, dont ce texte est un idéal pour toute personne qui accède aux rives de la soixantaine :

> La guerre la plus dure, c'est la guerre contre soi-même. Il faut arriver à se désarmer. J'ai mené cette guerre pendant des années, elle a été terrible. Mais je suis désarmé. Je n'ai plus peur de rien, car l'amour chasse la peur. Je suis désarmé de la volonté d'avoir raison, de me justifier en disqualifiant les autres. Je ne suis plus sur mes gardes, jalousement crispé sur mes richesses. J'accueille et je partage. Je ne tiens pas particulièrement à mes idées, à mes projets. Si l'on m'en présente de meilleurs, ou plutôt non, pas meilleurs,

mais bons, j'accepte sans regret. J'ai renoncé au comparatif. Ce qui est bon, vrai, réel, est toujours pour moi le meilleur. C'est pourquoi je n'ai plus peur. Quand on n'a plus rien, on n'a plus peur. Si l'on se désarme, si l'on se dépossède, si l'on s'ouvre au Dieu-Homme qui fait toutes choses nouvelles, alors, Lui, efface le mauvais passé et nous rend un temps neuf où tout est possible.

(www.foietlumiere.org/site/im_user/134avril04.pdf)

# Accueillir sa fragilité

Les blessures et les faiblesses sont inhérentes à notre condition humaine tentée par la séduction de la puissance et par la recherche du pouvoir. Nous en sommes plus conscients lorsque nous vieillissons. Nos faiblesses nous construisent et nous ouvrent sur notre propre fragilité et celle des autres. Cette reconnaissance de notre fragilité, à l'œuvre dans notre corps qui vieillit, nous rend plus humains, plus humbles, plus vrais. Rien ne sert de prôner la perfection lorsque nous n'acceptons pas ce qui est imparfait en nous. « Qui veut faire l'ange fait la bête », disait Pascal.

Notre monde tapageur laisse peu de place à cette écoute de ce qu'il y a de sensible et d'humain en nous, à cette tendresse qui tend à s'épanouir avec l'âge. Comment discerner une présence amie dans nos amours fragiles et nos solitudes discrètes lorsque le silence et l'intériorité font défaut? Comment découvrir le visage de notre fragilité lorsque nous désertons sa lumière qui éclaire le chevet de nos nuits?

Lorsque nous ressentons notre vulnérabilité devant le temps qui passe, les enfants qui s'en vont, la soixantaine qui arrive, la retraite à planifier, nous pouvons choisir de piétiner sur place ou de faire un pas en avant. Est-ce que je vais dans le sens du courant ou est-ce que je m'adapte aux changements pour aller plus loin? Le sentiment d'inutilité que nous pouvons ressentir, les repliements sur nous-mêmes, les décisions que nous reportons sans cesse sont des indications qui nous disent qu'il est le temps de demander de l'aide, de changer en nous ce qu'il y a à changer, de réaliser un projet qui nous tient à cœur, de chercher un meilleur équilibre de vie, de réaliser enfin qui nous sommes vraiment.

La vérité exige l'accueil de notre fragilité qui fait partie de notre finitude humaine, de ce qu'il y a d'éternel en nous et qui dépasse la vie biologique. Nous nous accomplissons comme personne dans la mesure où nous accueillons notre fragilité. Elle est une compagne chaleureuse au moment du découragement ; elle nous tient la main pour traverser la mer du doute. La cacher ou la nier, c'est ensabler la source de notre être, ce lieu vierge au centre du cœur d'où jaillit toute naissance. Nous portons ce trésor en nous « comme dans des poteries sans valeur ; ainsi, on voit bien que cette puissance extra-ordinaire ne vient pas de nous, mais de Dieu » (2 Corinthiens 4, 7).

## Pour les chrétiens

La foi chrétienne a une parole très positive sur la fragilité humaine. Dieu est un Père plein de bonté qui accueille tout ce qui est fragile, comme on le voit dans la parabole de l'enfant prodigue. « Son père l'aperçut et fut pris de pitié » (Luc 15, 20). Plus on devient misérable, plus Dieu se fait proche, descend au plus intime de notre faiblesse et nous libère. En prenant notre chair en Jésus, en mourant sur la croix, Dieu se dit dans la fragilité de ce corps blessé que la mort ne pouvait pas retenir. Dieu se révèle dans la vulnérabilité du Crucifié et la victoire du Ressuscité. Il ne s'impose pas, mais il se livre à notre liberté, jusqu'à mendier notre amour : « J'ai soif[2]. »

Il n'y a pas de héros à la soixantaine, mais des êtres fragiles qui se laissent vaincre par l'amour fou de Dieu. S'ils sont chrétiens, ils étanchent la soif de Jésus en aimant les hommes et les femmes de ce temps, surtout les plus faibles. Ils ne veulent plus dominer, ni être les plus forts, mais être nus devant l'amour désarmé et désarmant. Ils renoncent à la toute-puissance imaginaire pour s'ouvrir à la fragilité d'un amour qui se donne et pardonne, sans

2· Voir mon livre *J'ai soif. De la petite Thérèse à Mère Teresa*, Parole et Silence, 2003.

rien attendre en retour. Ils communient à la fragilité d'un Dieu crucifié, parce qu'il n'est qu'amour. Rien de plus fort que ce Dieu fragile remis entre nos mains chaque matin.

> Si la croix de Jésus signifie encore quelque chose, ce pourrait être de nous révéler que les déchirures les plus douloureuses sont aussi celles qui donnent passage à la lumière la plus vive! D'où ce bel appel à entendre et à partager : « Ne liquidez pas trop vite vos blessures : elles peuvent, si vous en avez la grâce et le courage, donner naissance à des ailes » (Jean Sulivan).
>
> (Francine Carrillo, « De la douleur à la lumière », *Panorama*, mars 2007, p. 23)

# S'émerveiller

« Merveilles que tes œuvres, Seigneur, et merveille que je suis », lit-on au Psaume 138 (139). Nous dépassons en dignité et en grandeur les plus belles merveilles du monde. Le savons-nous? La vie se déverse en nous à chaque âge et le battement de l'univers se mêle à notre sang. Nous faisons le moindre geste, et voilà des millions de cellules qui s'activent. Notre frère le corps n'est pas une machine que l'on a mais un mystère que l'on habite intérieurement.

S'émerveiller, c'est guérir de l'ennui et de la tristesse qui nous disposent parfois au découragement. À la soixantaine, on peut s'enfermer dans des habitudes et des horaires qui empêchent le soleil d'entrer. On peut chercher à tout contrôler et diriger, alors que la vie nous appelle à un certain détachement et à la contemplation. L'antidote à cette déprime est de trouver chaque jour de quoi s'émerveiller : une plante, un repas, une musique, un enfant, un livre, un bonjour, un merci… Avant le sommeil de la nuit, on pourrait se demander : Qu'est-ce que j'ai admiré aujourd'hui? La beauté nous arrache à nous-mêmes, l'admiration engendre l'émerveillement.

Nous admirons d'abord avec nos sens, même s'ils ont tendance à rétrécir leur champ de perception lorsque la vieillesse approche.

À nous de les affiner pour en percevoir toute la mélodie. Les yeux qui observent les gens à la gare peuvent aller au-delà du visible. Les oreilles discernent des nuances que l'on n'entend bien qu'après des heures d'écoute. Le nez élargit sa palette d'odeurs qui nous rappellent l'enfance. La bouche nous fait goûter des saveurs qui nourrissent l'intuition. Les doigts rendent nos relations plus chaleureuses. Pourquoi chercher ailleurs les merveilles du monde alors qu'elles sont en nous ?

Chacun peut mettre de l'émerveillement pour enchanter ses journées, particulièrement à la retraite. Par exemple : marcher en contemplant la création, s'arrêter de brefs moments pour reprendre souffle, écouter le chant des oiseaux, sentir le parfum des fleurs, plonger dans le silence d'un visage, goûter la brise légère, voir l'infini dans les yeux d'un enfant, caresser le corps de son époux ou de son épouse, consoler et pardonner…

· · · · · · · · · · · · · · · · · · · · · · · · · · · · · · · · · · ·

### Pour les chrétiens

L'émerveillement est un sentiment très fort qui nous fait communier à la joie du Créateur. Dès le début de la Genèse, Dieu s'extasie devant ce qu'il a fait : il vit que cela était beau et bon. Nous lisons cette première écriture de Dieu dans l'univers rempli de ses traces et que nous avons le devoir de préserver. Avant le refus, l'orgueil, il y a cette grâce originelle que nous retrouvons par l'humilité.

Être humble signifie accepter sa condition terrestre, travailler avec ses passions au lieu de les nier, être authentique en vivant simplement, avoir confiance en se réalisant, s'émerveiller de ce que Dieu fait en nous et dans les autres. En ce sens, la sainteté n'est plus la quête de la perfection, mais la quête de notre maturité. C'est une question d'accueil et d'amour. La sainteté est émerveillement, hospitalité offerte, reçue et partagée, « pour que tous aient la vie » (Jean 10, 10). Elle mène toujours à la gratitude et à l'action de grâce.

Nous devrions nous émerveiller de ceux et celles qui partagent notre table comme autant d'univers à découvrir et à contempler : conjoint, enfants, petits-enfants, amis. En les accueillant tels qu'ils sont, nous les éveillons à leur propre mystère.

Temple de l'Esprit, le corps est l'autel de l'âme priante. S'émerveiller avec son corps, rendre grâce, bénir, n'est-ce pas le sommet de la prière et de la vie chrétienne, symbolisé par l'Eucharistie, le merci du Christ au Père ? « Il est grand le mystère de la foi », proclame le prêtre après la consécration du pain et du vin. L'étonnement nous saisit devant ce mystère d'une présence, où se vit le merveilleux échange entre Dieu et nous de son corps et de son sang. Ce trésor de l'Église doit sans cesse être redécouvert[3]. En 1975, l'année de sa mort, Maurice Zundel professa toujours le même enthousiasme pour le poème d'amour de la messe :

> Après cinquante ans de sacerdoce, je suis toujours émerveillé par l'éternelle fraîcheur, l'éternelle nouveauté de la messe. Si celle-ci était la première ou si ce devait être la dernière, ce serait encore le même émerveillement, le don ultime d'amour sans cesse recommencé.
>
> (Bernard de Boissière et France-Marie Chauvelot, *Maurice Zundel*, Presses de la Renaissance, 2004, p. 373)

• • • • • • • • • • • • • • • • • • • • • • • • • • • • • • • • • •

## Désirer aimer

Le dominicain Tauler (1300-1361), qui a beaucoup écrit sur la quarantaine, affirmait que l'on est rarement soi-même avant l'âge de cinquante ans. On desserre graduellement l'emprise que nous pouvons avoir sur les êtres et les choses pour ouvrir les mains et les

---

3· Sur ces thèmes du corps et de l'Eucharistie, en lien avec l'émerveillement, voir mes deux livres de la collection « Les chemins de la prière » aux Presses de la Renaissance et Novalis : *Prier avec son corps* et *L'Eucharistie, source de la prière chrétienne*.

laisser libres. Nous acceptons mieux les dépouillements de notre moi égocentrique pour naître à soi-même. On passe de la mainmise au lâcher prise, de la captation à l'oblation. Ce que nous pensions être des traits négatifs de notre tempérament, nous le voyons maintenant comme quelque chose de plus positif. L'amour devient l'exercice essentiel de notre vie.

Nous avons la liberté de choisir d'aimer, c'est-à-dire de donner, de recevoir, de servir. Il ne s'agit pas tant de faire des efforts pour aimer que de croire à l'amour et d'en faire le lieu conscient de son désir. Aimer est un verbe d'action. C'est un choix, une décision, un risque qui ouvre la relation sur un horizon de désir. Ce risque se traduit par l'engagement, la responsabilité, la solidarité. On devient le gardien de sa relation avec l'autre. Aimer, à la soixantaine, c'est se désapproprier de soi pour deviner les besoins de l'autre; c'est révéler à l'autre sa beauté et se réjouir de sa présence. Tout un art que l'on apprend avec le temps. Servir les autres, les aimer en nous donnant, c'est faire de notre vie une œuvre d'amour.

La soixantaine devient un temps d'éblouissement où nous accueillons le don de la vie dans la joie et la gratitude. La meilleure façon d'accueillir ce don est de vivre dans la fidélité à l'aspiration la plus profonde de notre être. Nous y répondons en étant présents aux autres pour ce qu'ils sont et non pour ce que nous aimerions qu'ils soient. Il ne s'agit pas tant de leur transmettre un message que de les engendrer au désir d'aimer et de vivre. L'être humain ne trouve son désir qu'en cherchant un sens à sa vie qui se trouve dans le risque d'aimer.

La vie est un long pèlerinage vers notre cœur et celui des autres. L'amour est le seul bagage nécessaire pour toucher ce sanctuaire de notre cœur. La route sacrée qui y conduit reste l'être humain. Pas besoin de partir en pèlerinage à Compostelle pour vivre cela, le réel quotidien s'en occupe. Mais on peut aussi faire un pèlerinage à pied, comme Diane Chevalier, pour prendre le temps d'aimer et de vivre. À cinquante-huit ans, elle marcha 225 kilomètres de la cathédrale d'Ottawa à l'Oratoire Saint-Joseph de Montréal. Ce chemin de pluie, d'obstacles, de joie et de foi est une belle analogie de la vie au seuil de la soixantaine.

> Sur le chemin, j'ai compris l'importance de prendre le temps de vivre, de dire, d'aimer et d'échanger. De regarder les jours qui passent sans l'angoisse du lendemain. De réaliser ce qui a été accompli. De se lever le matin avec un objectif; de se coucher pour être prête à repartir, à avancer. De laisser tomber ses tabous, ses préjugés, ses craintes, ses attentes. Marcher à l'intérieur de soi en accueillant tout de la vie.

> (Diane Chevalier, « Un chemin d'espérance et de réjouissance », Ottawa, *Prions en Église*, 29 juillet 2007, p. 29-30)

Désirer aimer, c'est choisir la vie, l'accueillir avec tout son corps blessé, l'exprimer avec des sentiments que l'on ne veut plus refouler. Désirer aimer, c'est se donner la permission de vivre pleinement à soixante ans, en habitant son cœur et en se laissant toucher quotidiennement par quelqu'un ou quelque chose. Bref, désirer aimer, c'est se laisser aimer et recevoir tout de la vie comme une grâce. Jean Gabin le dit à sa manière, dans un très beau monologue de Jean-Loup Dabadie, *Maintenant je sais*, que l'on retrouve facilement sur Internet. En voici un extrait :

> Le jour où quelqu'un vous aime, il fait très beau
> J' peux pas mieux dire : il fait très beau!
>
> C'est encore ce qui m'étonne dans la vie
> Moi qui suis à l'automne de ma vie
> On oublie tant de soirs de tristesse
> Mais jamais un matin de tendresse!
>
> Toute ma jeunesse, j'ai voulu dire « je sais »
> Seulement, plus je cherchais, et puis moins j' savais
>
> Il y a soixante coups qui ont sonné à l'horloge
> J' suis encore à ma fenêtre, je regarde, et j' m'interroge :
>
> Maintenant je sais, je sais qu'on n' sait jamais!

La vie, l'amour, l'argent, les amis et les roses
On n' sait jamais le bruit ni la couleur des choses
C'est tout c' que j' sais! Mais ça, j' le sais!

# S'abandonner au désir de Dieu

La soixantaine est la continuité d'un dépouillement qui ne peut aller qu'en s'accentuant. Plus on devient soi-même, plus on se possède, plus on peut s'abandonner à Dieu, si l'on croit en lui, bien sûr. On se remet entre ses mains et cet abandon est cause d'une grande joie. Cette joie impénétrable est le signe d'un appel à se donner, à s'abandonner. Les fruits se manifestent par une liberté plus grande, une paix plus profonde, une gratuité dans les relations, une adhésion au réel qui débouche sur l'engagement. On s'abandonne à Dieu comme si tout dépendait de nous en sachant que c'est lui qui fait tout.

Pour certains, ce mot « Dieu » peut agacer, tant il est galvaudé. Il est utilisé à toutes les sauces, surtout depuis le 11 septembre 2001. C'est toujours audacieux de vouloir parler en son nom. Nous savons plus ce qu'il n'est pas que ce qu'il est. Ce que je peux en dire est toujours en deçà de son mystère. Pour moi, il n'est pas une cause à défendre mais un partenaire de tous les jours. Ce n'est pas non plus un besoin à consommer mais un désir qui m'échappe sans cesse. Il est plus un milieu de vie qu'un simple objet de connaissance. Il se dévoile non comme une solution magique à mes problèmes, mais comme Celui qui relance sans cesse mes questions pour créer du sens.

Dieu ne s'invente pas, il se découvre, disait Louis Massignon. Il habite notre désir quand les autres nous manquent. Il est l'Autre qui nous décentre de notre ego pour nous faire entrer dans son désir. C'est cela la prière, un chemin de foi qui nous fait désirer le vouloir de Dieu. Nous nous recevons de Lui dans une relation filiale de Père à fils. C'est la rencontre de deux désirs : Dieu, cet amoureux qui brûle de se donner – la Source a soif d'être bue, disait Grégoire de Nysse – et l'être humain, cet autre amoureux qui s'ouvre à ce désir de Dieu en se laissant remplir de tout l'amour qu'il y a dans son cœur. Nous consentons ainsi à notre fragilité qui est habitée par le Christ lui-même. Nous descendons dans les profondeurs de notre source, qui est en même temps en nous et hors de nous, par le désir et la foi.

Cette source, on l'entend et on la désire, mais elle coule de nuit, nous prévient Jean de la Croix. Elle vient d'ailleurs et nous précède sans cesse. En buvant à cette source intérieure, notre soif de Dieu grandit et notre désir reste sans remède. Ce désir en soi nous sort de nous-mêmes pour aller vers les autres. Il nous met en route parce que nous ressentons un manque de Dieu, une absence, comme une blessure.

> À la mesure sans mesure
> De ton immensité,
> Tu nous manques, Seigneur,
> Dans le tréfonds de notre cœur
> Ta place reste marquée
> Comme un grand vide, une blessure.

(« Hymne du soir, Mercredi I »,
dans *Prière du temps présent*, 1980, p. 670)

. . . . . . . . . . . . . . . . . . . . . . . . . . . . . . . . .

### Pour les chrétiens

L'abandon au désir de Dieu est une quête inachevée, une attente de sa parole qui épouse notre silence. C'est une écoute de ce que son Esprit nous murmure dans notre cœur pour mieux l'entendre dans nos frères et sœurs qui nous sont confiés. Ce désir de plénitude est infini chez la personne, car il vient de la nature même d'un Dieu que les chrétiens nomment Père, Fils et Esprit ; un Dieu qui n'existe qu'en se donnant, qu'en se répandant gratuitement, qu'en aimant éternellement. Si à l'occasion nous aimons Dieu pour combler un vide intérieur, Dieu nous aime toujours pour nous partager sa plénitude. Il n'est qu'amour, et cet océan de beauté, sans fond et sans âge, n'a pas de limites. C'est pour cela qu'il n'est pas seul, bien qu'il soit unique.

Le sexagénaire chrétien est appelé à devenir un mystique, c'est-à-dire quelqu'un qui entre dans le mystère de Dieu avec sa blessure et s'y abandonne en toute confiance. Sa foi au

Christ lui inspire une interprétation du monde, un engagement dans la société et une confiance en un Dieu Père. Elle lui fournit des réponses qui l'aident à faire face aux différentes situations de la vie. Il plonge dans le silence pour y rencontrer la solitude de son être fragile. Dieu l'attend pour l'enfanter à la compassion. Cet homme ou cette femme de foi accepte ce qu'il vit comme un enfant s'émerveille dans son carré de sable. Il n'a jamais fini d'aimer, de se connaître, d'apprendre à mourir comme si c'était l'œuvre de sa vie. Il va jusqu'à bénir la mort elle-même, assise au seuil de sa porte, qui le fera entrer un jour dans le jardin de Dieu, à la suite du Ressuscité, «le Premier-né d'entre les morts» (Colossiens 1, 18).

## Poème

Je t'ai montré, mon fils
Ce que j'ai fait de mieux
Un soleil plein les nues
Des aurores boréales
Des cascades d'étoiles
Tombant dans le néant
Sur les branches du vent

Je t'ai prêté, mon fils
Soixante ans d'une vie
Cinq fois celle du cheval
Deux fois celle de Jésus
T'en as passé quarante
À te ronger d'angoisse
À boucher l'horizon
N'y laissant que des fentes

Ne t'ai-je pas donné
Talent, santé, salaire
Enfants, saisons, maison
Et femmes à aimer
T'as préféré les routes
Nu comme un épervier

Manteau de la déroute
Sur blessures cachées

Orgueilleux tas de glaise
Tu me mets mal à l'aise
Quand ils ont vu la mer, tes yeux
Quand ta langue a goûté le vin
Tu m'as souri, je crois
Une des rares fois

Il est temps que tu rentres
Finis les migrations
Les transits, les voyages
Il est l'heure, couche-toi
Et viens dans mon Royaume
Tu ne partiras plus
Viens pour te reposer
Viens savoir si j'existe

Félix Leclerc, *Mon fils*, 1978.

Voir le site Internet : www.paroles.net/chansons/1547.1/Felix-Leclerc

# 2
# Andropause
# et ménopause

À vingt ans, nous donnons toujours raison au poète, à soixante,
le médecin n'a jamais tort. Il a le secret de nos misères.

Georges Bernanos, *La joie*

S elon l'OMS (l'Organisation mondiale de la santé), l'espérance
de vie des femmes des pays occidentaux est aujourd'hui d'environ quatre-vingt-trois ans et celle des hommes autour de
soixante-dix-sept ans. À une époque pas si lointaine, elle se situait
près de la soixantaine. Cet ajout potentiel du nombre d'années à la
durée de la vie est un fait marquant du XXᵉ siècle. Ce gain résulte des
facteurs suivants : l'hygiène, la nutrition, le suivi médical, l'éduca-
tion et la prospérité de ces pays. On prévoit qu'un enfant sur deux
qui naît aujourd'hui deviendra centenaire. Mais selon le biogéron-
tologue Jay Olshansky, l'espérance de vie déclinera bientôt à cause
de la multiplication des cas d'obésité et de diabète.

Les personnes, en vivant plus longtemps, se préoccupent davantage de leur santé. Ainsi, des recherches médicales assez récentes
ont porté sur le rôle important des hormones, surtout au moment
de l'andropause et de la ménopause. Ces changements arrivent
au milieu de la vie, continuent à la cinquantaine et peuvent aller
jusqu'à l'âge de soixante ans. Contrairement aux femmes, les
hommes ne parlent pas volontiers de cette période trouble et ne
consultent pas plus leur médecin. Les signes sont moins évidents
que ceux de la ménopause. Voici quelques éléments pour mieux
comprendre l'andropause, sans oublier la ménopause, beaucoup
plus connue.

# Un tournant pour l'homme

Le mot andropause vient du grec *andros*, « homme » et *pausis*, « cessation, arrêt ». Il y a quelques années, le *Petit Robert* définissait l'andropause comme la « diminution naturelle de la fonction sexuelle chez l'homme âgé ». Celui de 2007 est plus précis : « Diminution progressive de l'activité testiculaire chez l'homme d'un certain âge ». Ces définitions sont incomplètes, car elles réduisent cet état à la fonction sexuelle, alors que l'andropause affecte tous les aspects de la vie. Bien sûr, il y a diminution de la fonction sexuelle, mais les testicules ne cessent jamais complètement leur production de spermatozoïdes.

Le Dr Georges Debled, auteur de *L'andropause, causes, conséquences et remèdes*[1], décrit l'andropause comme l'ensemble des modifications physiologiques et psychologiques qui accompagnent la cessation naturelle et progressive de la fonction sexuelle chez l'homme. Cette « ménopause masculine » se traduit extérieurement par une diminution progressive de la masse et de la force musculaires. Les hommes prennent un peu plus de poids. La graisse augmente autour du ventre, pour les femmes c'est surtout autour des hanches et des cuisses.

Il est difficile de savoir à quel âge l'homme entre en andropause, car les symptômes sont moins évidents que ceux des femmes. On peut difficilement préciser le pourcentage d'hommes atteints, tant les chiffres varient d'une étude à l'autre. Les estimations vont de 20 à 50 %. Pour la ménopause, c'est beaucoup plus clair, puisqu'elle est caractérisée par l'arrêt de l'ovulation, la fin des menstruations et de la fertilité pour toutes les femmes autour de la cinquantaine. Tous les hommes ne souffrent donc pas d'andropause, contrairement à la ménopause qui touche la totalité des femmes.

Andropause et ménopause ne sont donc pas identiques, car si toutes les femmes sont amenées à être ménopausées, les hommes ne cessent pas d'être fertiles. Il faut plutôt parler dans leur cas d'une insuffisance hormonale. L'homme vit son « retour d'âge » entre qua-

---

1· Maloine, 1989.

rante et cinquante-cinq ans. Ce qui n'exclut pas des entrées en andropause à trente-sept ans ou à soixante ans. Il y a tout de même quelques ressemblances avec la ménopause : il y a diminution de l'activité sexuelle dans les deux cas. On remarque aussi chez les hommes comme chez les femmes des problèmes physiques, comme les bouffées de chaleur, et des changements psychologiques, comme les sautes d'humeur.

Ces problèmes et changements sont souvent liés à ce que l'on vit. Par exemple, le deuil de la mort de mon beau-père et la perte de mon emploi à cinquante-cinq ans me rendirent plus songeur et dépressif. Difficile de savoir précisément si les symptômes étaient dus à l'andropause ou à un stress intense. Peut-être aux deux. Je n'étais plus que la moitié de moi-même, me demandant dans quel creux de vague avait sombré l'autre moitié. Je manquais d'énergie. Mon humeur était changeante. Je percevais confusément qu'une transformation secrète s'opérait en moi. Je ne ressentais aucun plaisir à effectuer les activités qui normalement me plaisaient. J'avais des bouffées de chaleur et l'exercice physique m'était difficile. Avais-je une baisse marquée de testostérone ? Chacun de mes proches y alla de son diagnostic. Une rencontre avec mon médecin et un test sanguin remirent les pendules à l'heure. Le degré de testostérone était normal pour mon âge. Il fallait que je me repose. J'en tirai une leçon de vie pour l'avenir.

## Une question de testostérone

La testostérone est l'hormone qui donne les caractéristiques masculines typiques : la voix grave, la masse musculaire, le système pileux. Un déficit en testostérone peut s'exprimer par de la fatigue, une diminution du désir sexuel, une certaine déprime et tout un ensemble d'autres effets qui font qu'on se sent « vieux ».

Même si le taux hormonal varie d'un individu à l'autre, la testostérone biodisponible a tendance à se raréfier à mesure que l'âge augmente. Dès l'âge de trente ans, le taux de testostérone de l'homme baisse d'environ 10 % par décennie, et la quantité qui continue à être fabriquée n'a souvent pas la même efficacité. Fini le temps insouciant de la jeunesse où nous débordions d'énergie et de vigueur jusque tard le soir. Cette baisse de testostérone se traduit par l'andropause.

Si la chute hormonale est assez brutale à la ménopause, chez l'homme le taux de testostérone diminue lentement et, on pourrait dire, silencieusement. Chacun réagit différemment. Selon les études, environ 60 % des hommes ressentent des symptômes liés à la baisse de testostérone, et 25 % voient leur qualité de vie altérée après cinquante ans. Certains facteurs auraient tendance à accentuer cette chute : stress, surpoids, manque d'exercice physique, alcool, tabagisme.

Si beaucoup souffrent de symptômes liés à une déficience en testostérone, seulement 5 % sont traités. Si certains se sentent amoindris ou déprimés, il est très facile pour un médecin de diagnostiquer le taux de testostérone par de simples tests sanguins. Si les premiers résultats indiquent un taux trop bas, d'autres tests peuvent être nécessaires. Si le dosage est inférieur à la normale à deux reprises et si vous n'avez ni insuffisance cardiaque sévère, ni cancer de la prostate, le médecin peut proposer un traitement substitutif à base de testostérone, sous forme de comprimés, de gel ou d'injections.

Certaines études évoquent un déséquilibre de la testostérone qui peut être responsable d'hypertrophie bénigne de la prostate (HPB). Le médecin peut déceler cette augmentation par un toucher rectal et une prise de sang. 50 % des hommes ont des problèmes de prostate après soixante ans. Cette glande masculine située sous la vessie grossit après l'âge de quarante ans, entraînant plusieurs inconforts comme une diminution de la libido, un besoin fréquent d'uriner, des réveils nocturnes, des écoulements après l'évacuation de la vessie. Une alimentation riche en poissons gras, en produits à base de soja, et riche en zinc, comme les graines de citrouille, ainsi que la consommation d'une grande quantité d'eau aideront à maintenir la prostate en bonne santé. Cependant, il faut éviter dans la mesure du possible les produits issus des animaux pouvant contenir un taux élevé de cholestérol, l'alcool et les sucres raffinés.

# Symptômes de l'andropause

L'andropause s'annonce par une panoplie de symptômes qui font souffrir certains hommes et les rendent malheureux : bouffées de chaleur, transpiration épisodique, insomnie, manque d'appétit, nervosité, irritabilité. Ils ont temporairement des difficultés à se concentrer, se sentent dépressifs et moins sûrs d'eux, éprouvent moins d'intérêt à faire l'amour et n'ont pas envie d'avoir d'activités sociales. Tous les hommes ne présentent pas la totalité de ces symptômes ou ne les éprouvent pas avec la même intensité. Cela ressemble à la crise existentielle de la quarantaine et à la dépression, mais l'andropause est surtout marquée par une baisse évidente de testostérone. Un professionnel formé sera en mesure de faire la distinction et de proposer diverses options thérapeutiques.

## Dix questions autour de l'andropause

Le Dr John Morley, de l'Université Saint-Louis, a élaboré dix questions qui permettent une investigation plus juste de l'andropause. On a appelé ce questionnaire : *Déficience androgénique chez l'homme d'âge mûr*. Voici les dix questions :

1. Éprouvez-vous une baisse du désir sexuel ?
2. Éprouvez-vous une baisse d'énergie ?
3. Éprouvez-vous une diminution de force et/ou d'endurance ?
4. Votre taille a-t-elle diminué ?
5. Avez-vous noté une diminution de « joie de vivre » ?
6. Êtes-vous triste et/ou maussade ?
7. Vos érections sont-elles moins fortes ?
8. Avez-vous noté une altération récente de vos capacités sportives ?
9. Vous endormez-vous après le dîner ?
10. Votre rendement professionnel s'est-il récemment dégradé ?

Des réponses positives aux questions 1 et 7, ou une combinaison de trois réponses positives, font de vous un candidat à l'andropause. Par contre, ce questionnaire est jugé trop vague par des spécialistes de l'andropause.

# De bonnes habitudes de vie

L'andropause n'est pas une maladie, mais plutôt un état naturel qui passe avec l'âge. Avant d'avoir recours à l'hormonothérapie, il faut changer certaines habitudes et agir sur la qualité de notre vie globale. Par exemple, manger sainement, faire de l'exercice et dormir suffisamment.

Avec l'âge, nos besoins en calories sont moins importants et si on ne change pas notre alimentation et si nous ne faisons du sport qu'en regardant la télévision, les kilos risquent de s'accumuler doucement. L'importance d'une bonne alimentation est donc capitale. L'excès de graisse fait augmenter la production de protéines porteuses des stéroïdes sexuels qui fait diminuer le taux de testostérone biodisponible. Un régime faible en graisse et riche en fibres est un atout pour bien passer son andropause et sa ménopause. Mangeons plus de soupe et moins de dessert. Une bonne façon de maintenir un poids santé est de prendre de petits repas fréquents accompagnés de beaucoup de fruits et de légumes. Les acides gras oméga-3 que l'on retrouve dans le poisson et les flavonoïdes sont recommandés.

Les bienfaits de l'activité physique vont bien au-delà de son rôle dans l'andropause et la ménopause. Trente minutes d'exercice physique trois à quatre fois par semaine améliorent le sentiment de bien-être. Des études ont démontré que les femmes qui marchaient, ne serait-ce qu'une heure par semaine, réduisaient de moitié le risque de maladie cardiaque.

Pour ma part, je fais du jogging depuis vingt-cinq ans trois fois par semaine. Ce genre d'exercice m'aide beaucoup à maintenir un poids santé, en plus d'évacuer le stress et d'aérer l'esprit. Les premiers kilomètres sont pour mon corps, les suivants pour mon âme. Mais si le débit est trop rapide, le taux de testostérone peut baisser. N'oublions pas qu'en vieillissant, nous perdons plus de force et de souplesse que de capacité cardiovasculaire. Il importe d'avoir un bon programme d'étirements pour entretenir la souplesse, surtout si nous faisons de la musculation. Faire partie d'un groupe ou d'un club d'athlétisme peut nous motiver.

La vie active que nous menons a souvent pour conséquence un manque généralisé de sommeil qui peut influer sur la production de testostérone et, de ce fait, créer un cercle vicieux. À mesure que le taux de testostérone diminue et que les symptômes de l'andropause apparaissent, il se peut que l'on dorme moins bien et que l'on se sente moins reposé au réveil.

Un repos thérapeutique est synonyme de bonnes habitudes de vie : une alimentation saine et diversifiée, l'harmonie d'une vie joyeuse, un rythme modéré d'activité et de sommeil, une bonne gestion de ses sentiments, des produits naturels de qualité. La personne reposée accomplit ainsi tout avec plus de mesure. Un manuel de santé populaire du Moyen Âge, *Les règles de santé de Salerne*, résume cela en ces mots : « La triple règle : repos, gaieté, mesure vaut mieux qu'un médecin. »

Se reposer, se détendre, flâner, jouer, contempler ne sont pas des pertes de temps. Le corps récupère et maintient ainsi ses réserves d'énergie. Chaque jour devrait comporter un temps d'arrêt qui nous permettrait de refaire le plein de force vitale.

L'intimité conjugale peut être en ce sens un ressourcement. Des études ont montré que l'activité sexuelle stimule le taux de testostérone. Il est donc souhaitable de continuer à avoir des relations régulières, même si l'érection peut se faire attendre. Il y a aussi la sécheresse vaginale, problème que l'on peut régler en utilisant un lubrifiant. La fréquence dépend de chaque personne, bien sûr. Il est normal, avec l'âge et le temps, de ressentir une baisse graduelle du désir. Il ne faut pas attendre que la pulsion de jadis arrive comme par magie, mais il faut se motiver pour plaire à l'autre. Même si nous n'avons plus la fougue de nos vingt ans, l'activité sexuelle demeure un lieu d'exultation où les corps reprennent vie. Elle est l'expression de notre façon d'être au monde, le langage amoureux de notre union intime, malgré la routine, l'absence de désir et la fatigue.

Bref, l'étape de l'andropause, comme celle de la ménopause, est une période où les conjoints sont appelés à dialoguer. Ils ont à s'accepter et à s'accueillir, à prendre soin l'un de l'autre et à se redécouvrir comme au début de leurs premières fréquentations. Leurs corps changent et l'image qu'ils en ont n'est pas toujours positive. Ils ont à se rejoindre là où ils sont rendus, en se faisant confiance et en empruntant un chemin qui conduit à l'appropriation de leur spiritualité qui peut s'exprimer par la recherche de valeurs morales ou esthétiques, l'aspiration à s'intégrer dans l'univers et le souci de se dépasser dans le changement.

# Le cycle de la ménopause

La ménopause marque la fin de l'activité des ovaires; ce terme vient du grec *mênos*, «mois», qui a donné «menstruation». Le *Petit Robert* 2007 définit ainsi la ménopause : «Cessation de l'activité ovarienne chez la femme, naturellement accompagnée de l'arrêt définitif de l'ovulation et des règles.» Cette période correspond à un arrêt des sécrétions hormonales sexuelles (œstrogènes et progestérone) qui engendre des bouleversements de l'organisme. Les années qui passent apportent des troubles aussi divers que bouffées de chaleur, baisse de la libido, sécheresse de la peau et des voies génitales, prise de poids, fatigue, migraines, fragilité psychologique. L'intensité des troubles varie pour chaque femme. Heureusement, toutes les femmes ne connaissent pas forcément l'ensemble de ces désagréments.

La ménopause intervient en général aux alentours de la cinquantaine et s'installe peu à peu. La phase qui la précède appelée préménopause ou périménopause est une période de transition. Elle peut durer de cinq à dix ans et est caractérisée par des menstruations irrégulières, souvent abondantes, des cycles menstruels plus courts qui vont cesser progressivement. Lorsque le cycle devient anovulatoire, la progestérone, sécrétée habituellement par l'ovule, n'est plus produite, ce qui entraîne une relative dominance des œstrogènes dans l'organisme. Chez certaines femmes, ce déséquilibre peut entraîner de la rétention d'eau, de l'irritabilité, des maux de tête, des pertes de mémoire, des états dépressifs, des fibromes et même un cancer du sein ou de l'endomètre.

Un taux d'œstrogènes trop bas provoque des bouffées de chaleur, des douleurs ostéo-articulaires, une atrophie et une sécheresse des muqueuses vaginales. Il implique plus ou moins rapidement une diminution de l'épaisseur de la peau qui se flétrit. Enfin l'irritabilité, la sensation de tristesse et la baisse de la libido sont d'autres caractéristiques.

La fin du fonctionnement des ovaires (arrêt total et définitif des règles) est souvent une période difficile à gérer pour les femmes tant d'un point de vue physique que psychologique. La production d'œstrogènes et de progestérone commence à diminuer mais de façon irrégulière, le fragile équilibre hormonal est rompu et les premiers désagréments apparaissent.

De même que pour la puberté, l'âge de la périménopause et celui de la ménopause varient en fonction de chaque femme. L'âge moyen de la ménopause se situe entre cinquante et cinquante-deux ans mais peut varier sur une fourchette de dix ans. L'hérédité peut jouer un rôle. Une femme dont la mère a été ménopausée très tôt risque de l'être aussi. Même ménopausées depuis plusieurs années, les femmes ressentent parfois au creux de leur corps les passages des cycles précédents.

Pour ce qui est du traitement hormonal de la ménopause, est-il oui ou non dangereux? Les avis sont partagés et les résultats sont fréquemment contradictoires. Le traitement fut recommandé dans les années 1980 à toute femme ménopausée, afin de prévenir l'ostéoporose et de remédier à certains troubles comme les bouffées de chaleur et les insomnies. L'augmentation des cancers du sein dans les pays industrialisés a remis en question le traitement hormonal. Une étude anglaise en 2003, sur des femmes âgées de cinquante à soixante-quatre ans, a montré une augmentation de ce type de cancer et des troubles cardio-vasculaires. La prudence est donc de mise.

## L'ère du cerveau

Le cerveau est l'ordinateur central du corps humain. Il est composé d'environ dix milliards de cellules nerveuses dans lesquelles sont enregistrées toutes les données et les directives se rapportant au fonctionnement de l'organisme. Saviez-vous qu'il développe assez d'électricité pour allumer une ampoule de dix watts? Ainsi, lorsque quelqu'un vous dit que vous êtes une lumière, il n'a pas complètement tort. Le contraire peut être véridique si vous avez l'air endormi. Pour rester «allumé» durant l'andropause et la ménopause, voici quelques conseils touchant le sommeil, l'alimentation, les stimulants, les vitamines et les minéraux.

Le cerveau consomme beaucoup de glucose et utilise environ 25 % de tout l'oxygène absorbé par l'organisme. C'est si vrai qu'après plus de trois minutes sans air, les cellules nerveuses subissent des torts irréparables. Il faut donc reposer son cerveau par un sommeil réparateur (minimum sept heures), dans une pièce aérée, en respectant toutes les phases du sommeil (éveil, rêves), et éviter si possible les tranquillisants chimiques et les hypnotiques; mieux vaut prendre des principes actifs issus de plantes calmantes comme la valériane et la passiflore.

Le cerveau a besoin d'être bien nourri pour que l'échange d'informations se fasse normalement au niveau de ses cellules nerveuses, appelées aussi neurones. Deux acides gras dits polyinsaturés sont ici essentiels : le linoléique et l'alpha-liolénique. On les retrouve dans certaines huiles végétales de première pression, comme les huiles de colza et de noix.

Le sucre exerce en général un effet répresseur sur le cerveau. Ceux qui souffrent d'hypoglycémie en savent quelque chose. En revanche, les aliments riches en protéines – comme les poissons de mer, le yogourt, le pain complet, la viande maigre, les salades vertes, les germes de céréales, les amandes, les fruits, et surtout la lécithine de soja – aiguisent les fonctions cérébrales. Ces aliments sont riches en zinc, en phosphore, en magnésium et en vitamines B et E. Ces minéraux et vitamines, en plus d'aider à l'oxygénation du cerveau, stimulent la mémoire. Car une bonne mémoire, surtout après la soixantaine, exige une oxygénation optimale et un bon débit sanguin cérébral.

Un arbre millénaire réussit ce tour de force : le ginkgo biloba. Les feuilles de cet arbre possèdent des propriétés de revitalisation mentale. Elles assurent une plus grande dose d'énergie tout en contrant les effets du stress. Pris avec des extraits de ginseng rouge de Corée, de gotu kola, de fo ti, le ginkgo biloba augmente parfois les capacités de la mémoire et de la concentration.

La nicotine et la caféine ont des effets identiques, mais avec des effets secondaires. La cigarette peut favoriser l'attention et la mémoire, mais il faut toujours en rallumer une pour garder son esprit alerte. L'état de manque tabagique est cause d'anxiété, d'irritabilité, d'insomnie. La caféine et la théine peuvent aussi améliorer indirectement la vigilance et la vitesse de réaction. Cependant, prises à forte dose, elles provoquent l'agitation, l'insomnie et l'accélération cardiaque. Là encore, il peut y avoir une dépendance physique et psychique à ces substances psychotropes. Mais le café, le thé, le chocolat sont si bons! Oui, modérément. La santé est toujours une question d'équilibre.

# Recommandations de médecins

Que l'on soit en forme ou non, andropausé ou ménopausée, il est recommandé, à partir de cinquante-cinq ans, de consulter un professionnel de la santé une fois par an. Mieux vaut prévenir que guérir, dit l'adage. Ce que nos ancêtres espéraient – vivre en santé le plus longtemps possible – est devenu une réalité aujourd'hui. Pour nous aider à réaliser cet objectif, voici un résumé des recommandations d'un médecin. Pour certains, cela peut faire beaucoup, mais il est possible de les mettre en place si on les intègre graduellement. Nous ressentirons un surplus d'énergie et de plaisir qui nous motivera pour les années à venir.

## Recommandations du Dr Delisle

Cessez de fumer.

Gardez un poids normal.

Faites contrôler votre pression artérielle.

Mangez très peu de graisses d'origine animale.

Faites de l'exercice physique.

Contrôlez avec soin votre diabète si vous en souffrez.

Mangez des grains entiers.

Soyez très modéré dans la consommation d'alcool.

Utilisez peu de sel de table.

Ne buvez que peu de café.

Apprenez des techniques de relaxation.

Si vous utilisez l'aspirine, prenez-en seulement en mangeant.

Diminuez puis cessez les laxatifs ou purgatifs.

Évitez les aliments frits.

Faites faire un examen d'urine périodiquement.

Soyez très méticuleux sur la prise des médicaments.

Faites des exercices réguliers au grand air.

Prenez une alimentation simple et variée, et de l'eau fraîche comme breuvage principal.

Humidifiez suffisamment votre logis dans les saisons froides.

Faites surveiller la pression de vos yeux.

Voyez votre dentiste régulièrement.

Un examen médical annuel est très recommandable

N'oubliez pas la poésie, la musique et ce magnifique traitement de l'esprit et du corps qui s'appelle la prière[2].

 ## Pour les croyants

Un autre médecin, le psychiatre allemand Balthazar Stahelin, parle de la prière comme d'un moyen essentiel pour trouver la paix et la sérénité intérieures, surtout lorsque nous avançons en âge. Il propose quatre principes de base de la thérapeutique psychosomatique :

> Chaque soir avant de s'endormir, lire durant une demi-heure quelques pages de la Bible ou une lecture spirituelle et s'efforcer de mettre ce qui a été lu en harmonie avec sa vie.
>
> Se lever le matin de bonne heure, commencer par écouter un disque de musique classique ou religieuse et consacrer une demi-heure à la détente corporelle par des exercices (bicyclette, gymnastique, jogging, etc.).
>
> Puis, après les exercices physiques, s'abandonner dans le silence à entrer dans son cœur et la prière du cœur, dans une inactivité physique et psychique la

2. Dr Claude Delisle, *La maîtrise de ma santé*, Novalis, 1988, p. 36-37.

plus totale, un temps de prière personnelle ou d'oraison silencieuse.

Enfin, s'efforcer durant le jour d'entrer dans son cœur, d'intérioriser et de vivre la présence divine dans son âme.

(Cité dans André Daigneault, *Le long chemin vers la sérénité*, Québec, Le Renouveau, 1998, p. 175)

Depuis une dizaine d'années, je mets en pratique trois de ces principes et je peux témoigner qu'une transformation profonde s'est opérée en moi. En commençant ma journée par un jogging, puis en la poursuivant par un temps d'oraison silencieuse, qui est un cœur à cœur amoureux avec Dieu, une paix discrète s'installe en moi. Je suis plus présent à moi-même le reste de la journée, je me sens plus serein et il me semble que j'accueille mieux le stress quotidien. J'apprends à descendre dans mon cœur pour y retrouver cette présence divine qui m'habite et qui est plus grande que moi.

· · · · · · · · · · · · · · · · · · · · · · · · · · · · · · · · ·

À chaque personne d'adapter ces conseils de nos deux médecins d'après ce qu'elle est et ce qu'elle vit, selon son rythme et ses attentes, pour les intégrer avec harmonie et sérénité au jour le jour. Il suffit de vouloir et de commencer à les mettre en pratique.

## Poème

Souviens-toi de ton Créateur,
aux jours de ta jeunesse,
avant que viennent les jours
mauvais,
et qu'approchent les années
dont tu diras :
«Je ne les aime pas»;
avant que s'obscurcissent le soleil
et la lumière,
la lune et les étoiles,
et que les nuages reviennent
encore après la pluie;
au jour où tremblent les gardiens
de la maison,
où se courbent les hommes
vigoureux;
où les femmes, l'une après l'autre,
cessent de moudre,
où le jour baisse aux fenêtres;
quand la porte est fermée
sur la rue,
quand s'éteint la voix de la meule,
quand s'arrête le chant de l'oiseau,
et quand se taisent les chansons;
lorsqu'on redoute la montée
et qu'on a des frayeurs en chemin;
lorsque l'amandier s'épanouit,
que la sauterelle s'alourdit,
et que le câprier laisse échapper
son fruit;
lorsque l'homme s'en va
vers sa maison d'éternité,
et que les pleureurs sont
déjà au coin de la rue;
avant que le fil d'argent
se détache,
que la lampe d'or se brise,
que la cruche se casse
à la fontaine,
que la poulie se fende sur le puits;
et que la poussière retourne
à la terre
comme elle en vint,
et le souffle à Dieu qui l'a donné.

Qohélet 12, 1-7.

# 3
# Les défis
# de la retraite

Ce qu'on appelle nos beaux jours
N'est qu'un éclat brillant dans une nuit d'orage,
Et rien, excepté nos amours,
N'y mérite un regret du sage;
Mais, que dis-je?, on aime à tout âge.

Alphonse de Lamartine, *La retraite*

On entend souvent ces opinions contradictoires lorsque les gens pensent à leur retraite : «Enfin, je vais me reposer et faire ce que j'aime.» «Aurai-je assez d'argent pour vivre convenablement?» «J'aime mon emploi, je ne vois pas pourquoi je devrais le quitter.» «Que vais-je faire de tout ce temps?» «Comment occuper mes journées?» «Vais-je m'ennuyer?» «Garderai-je les contacts avec mes anciens collègues?» «J'aurai plus de liberté pour actualiser des projets restés dans l'ombre.» «Au moins, je ne subirai plus le stress d'être productif et l'obligation de plaire au patron.»

On le voit, la retraite est pour certains une libération des contraintes et pour d'autres la fin d'un travail valorisant qui apportait sécurité financière et statut social. On nous la présente souvent comme une période de vacances sans fin et sans nuages, remplie de plaisirs et de distractions. Peut-on réellement vivre ce temps sous le seul soleil du divertissement et du loisir? Défi ou épreuve, la retraite sera ce que l'on voudra en faire : un nouveau départ pour aimer et créer ou un temps de déprime pour regretter et s'ennuyer. La retraite demeure un changement majeur dans la vie de tout individu, à chacun de bien s'y préparer pour qu'elle soit fructueuse.

# Défi ou épreuve

On peut se demander si l'être humain est fait pour travailler, puisque cela le fatigue. Mais ne pas avoir de travail n'est pas non plus de tout repos. S'il est vrai généralement que le travail, c'est la santé, la retraite peut l'être aussi, si on en a les moyens. Car même si les hommes et les femmes quittent de plus en plus tôt le marché du travail, la retraite dorée n'est pas accessible à tout le monde. Et tous n'ont pas les moyens de bien s'y préparer.

Employeurs et gouvernements offrent souvent des cours de pré-retraite à leurs employés qui sont conçus selon plusieurs volets : santé, juridique, social, financier. La question de l'argent demeure la plus importante, aux dires des participants. Pourrons-nous tenir le coup jusqu'au grand âge ? Si le fonds de pension est bien garni, tant mieux. Encore faut-il savoir bien gérer cet argent. Il y a aussi des cas où la retraite est précipitée. Le patron montre la porte de sortie, restriction budgétaire oblige.

C'est ce qui m'est arrivé, à cinquante-cinq ans. En perdant mon emploi, j'ai fait le deuil d'une certaine époque de ma vie. Il a fallu que je puise aux sources vives de ma foi pour y trouver du sens. J'ai vite discerné que je pouvais vivre encore plus en conformité avec mes forces et mes rêves. J'ai donc décidé de me consacrer totalement à ce que j'aimais et à ce que je faisais le mieux : écrire des livres et des articles, donner des conférences, animer des sessions. Ce départ de la vie professionnelle fut pour moi la possibilité d'un plus grand enracinement dans ma foi chrétienne et d'une nouvelle vitalité dans la création littéraire. Je choisis maintenant des engagements à ma mesure et je trouve plus de joie auprès des miens. J'y gagne en amour, en paix intérieure, en connaissance de moi et des autres. Nous n'avons jamais fini d'apprendre.

De nos jours, on définit surtout la personne par son métier, par ce qu'elle fait, non par ce qu'elle est. Il est donc tout naturel de ressentir différentes craintes au début de la retraite : peur de manquer d'argent, d'être inutile, de vivre un vide, de regretter son ancien emploi, de trouver le temps long avec son conjoint ou sa conjointe, de regretter la complicité avec les collègues de travail. Il est bon de se demander ce que nous avons le goût de faire avec tout ce temps qui nous est désormais imparti. Quels sont nos désirs? Des choix s'offrent à nous : rencontrer de nouveaux amis, changer de logis, faire du bénévolat, trouver des hobbies, se rapprocher de ses enfants, approfondir sa spiritualité, se réapproprier sa foi.

L'important est de faire face à la réalité, sans la fuir, en acceptant la vie telle qu'elle se présente et en écoutant ses intuitions. Les personnes qui s'en sortent le mieux sont celles qui arrivent à définir ce qu'elles désirent. Elles s'intéressent aux autres, vivent dans le présent, s'ouvrent à de nouvelles amitiés, acceptent de nouveaux défis, prennent soin de leur santé, savent se détendre, passent du temps en famille, savent rire d'elles-mêmes, se tiennent occupées. Certaines suivent des cours, per-fectionnent tel art, pratiquent un sport, s'abonnent à une bibliothèque, visitent tel pays, font du bénévolat, cultivent un jardin.

L'un de mes voisins, à la retraite depuis plusieurs années, a choisi de faire pousser des figues. Il en prend soin tous les jours. Lorsqu'il fait trop froid, il les rentre dans son garage. Le temps qu'il prend pour s'en occuper lui donne l'occasion de faire quelque chose de concret et de tangible. Lorsqu'il se sent inutile et que plus rien ne semble avoir de sens, il retourne à ses figues. Cette simple tâche faite avec conscience et joie l'aide à garder un équilibre de vie.

D'autres retraités choisissent une continuité de carrière, font un petit boulot rémunéré pour être plus à l'aise financièrement, se lan-cent dans de nouvelles solidarités, comme Slimane, personnage chômeur du film *La graine et le mulet* du cinéaste français d'origine tunisienne Abdellatif Kechiche. À soixante et un ans, on lui fait comprendre qu'il est trop vieux pour les chantiers navals. Retraité contre son gré, il va transformer un bateau en restaurant dont la spécialité sera le couscous. Ce sera une nouvelle aventure pour lui et sa famille, un combat contre l'exclusion, vécu dans une grande authenticité et créativité.

Il est normal de connaître une période d'incertitude et d'adap-tation durant la première année de la retraite. On perd un statut professionnel qui était rassurant, financièrement et socialement, et que nous aimions projeter au monde extérieur. Désormais, on apprend à vivre plus lentement, sans échéances.

## La retraite : l'occasion d'accomplir de multiples activités

Ce fut l'expérience de Josée. Après une année d'adaptation à son nouveau rythme de vie, elle voulait réaliser quelque chose de spécial, alors que son conjoint était toujours au travail. Elle s'engagea comme bénévole dans un centre pour personnes en perte d'autonomie. Elle s'initia à la langue de Shakespeare et se sentit utile dans ce nouvel engagement.

On retrouve de plus en plus d'anciens enseignants, comptables, infirmières, électriciens, qui mettent leur expertise gratuitement au service de différents mouvements ou qui servent à l'étranger pour un an ou plus. Ces seniors ne reviennent pas indemnes de leur mission humanitaire dans un autre pays, heureux d'avoir été utiles en faisant une action concrète. À leur retour, ils discernent mieux l'essentiel de l'accessoire.

# Un réaménagement pour le couple

Qu'elle soit préparée ou non, la retraite n'est pas la dernière étape de la vie. Elle est un état d'esprit et un temps d'apprentissages. Elle exige une réorganisation du temps, un nouveau partage de l'espace et des tâches, surtout si l'on vit en couple. Il est recommandé, par exemple, de réaménager les espaces pour que chacun ait son territoire où il peut se retirer, pour que la vie circule mieux entre les deux conjoints. Les travaux ménagers pourraient aussi être répartis plus équitablement, n'en déplaise aux hommes. La redistribution des rôles et le respect de l'autonomie de chacun favorisent un mieux-être dans le couple, qui doit lutter contre l'indifférence, la routine, l'ennui, la baisse de libido.

Comme durant la crise de la quarantaine, chaque partenaire est invité à se «rechoisir», à reconnaître ses besoins de dépendance et d'indépendance, à développer la tendresse, l'accueil, le pardon. Chacun peut alors découvrir les richesses de l'autre, sans trop empiéter sur son territoire intime. Les conjoints peuvent être solitaires tout en étant solidaires. La relation se construit en accord avec ce qu'il y a d'inachevé et d'imparfait en chacun d'eux, dans le respect de leurs identités. Les pertes sont alors transformées en gains. C'est l'heure de vivre autrement, de décider d'aimer une fois de plus, d'écouter ce désir essentiel qui appelle au voyage intérieur de la connaissance de soi, des autres, du monde, de Dieu. Cette étape du couple nourrit la créativité et l'engagement.

> Chacun est moins centré sur son moi. On fait davantage la place aux autres, à des projets sociaux. On sent le besoin de donner, de se dévouer, sans rien attendre en retour. L'amour du couple devient plus créateur. Les couples cocréateurs engendrent les autres à la vie par leurs exemples, par leurs paroles, par leur manière d'être. Ce couple est disponible à ses enfants. Leur rôle de parents est revalorisé par cet amour profond qui vient de leur «nous», c'est-à-dire de la qualité du «je» et du «tu» formant un «nous» en santé. L'autre est reçu comme un cadeau, comme un don. On le respecte, non parce qu'il est parfait, mais parce qu'il est autre, parce qu'il est lui ou elle, unique et irremplaçable.
>
> (Jacques Gauthier, *Les défis du jeune couple*, Le Sarment, 2006, p. 49)

Une nouvelle vie s'installe à la retraite et une nouvelle manière d'aimer, plus tendre. On doit se réhabituer à vivre ensemble du matin au soir. Les enfants sont partis de la maison avec leurs jeux et leurs fêtes, les responsabilités et les cris : «Les enfants, à table!» Nous les aimons de loin en les laissant libres et en leur faisant confiance. Il ne reste plus que nous deux dans le même espace, avec nos petites manières et les frictions inévitables de la vie de couple. Ne masquons pas trop rapidement notre agacement par des engagements prématurés. Laissons le vent danser entre nous avant de trouver de nouveaux espaces d'organisation. Travaillons à consolider notre autonomie, à ne pas éteindre l'étincelle initiale qui fait que nous sommes ensemble pour continuer à aimer. En étant soi-même, on peut mieux être présent à l'autre et l'accepter tel qu'il est.

Cela n'empêche pas de se sentir de temps à autre étranger dans sa propre maison. On ne retrouve plus la voix bienfaisante du mari ou de l'épouse d'avant la retraite. La proximité devient étouffante, nous empêche de respirer et de voir l'autre dans une perspective plus juste. L'amour semble éteint, constate Léo Ferré, dans une chanson terrible de nostalgie et de mélancolie, *Avec le temps* :

> Avec le temps, va, tout s'en va
> On oublie les passions et l'on oublie les voix
> Qui vous disaient tout bas les mots des pauvres gens
> Ne rentre pas trop tard, surtout ne prends pas froid…

Il est souhaitable de sortir de la maison pour mieux se retrouver, de faire des activités chacun de son côté pour s'enrichir. Ces sorties alimentent les partages et les discussions. La convivialité suscite le désir d'aimer. On prend davantage conscience de la chance que l'on a d'avoir l'autre encore près de soi pour vieillir ensemble. Ne plus rien avoir à se dire étouffe la relation conjugale qui meurt à petit feu sous le poids des habitudes.

Il est bon aussi de se retrouver pour flâner ensemble, sans se culpabiliser, au lit, au salon, au restaurant, en évitant de regarder sa montre. Le temps n'est pas de l'argent où tout est comptabilisé, mais un don que nous accueillons, une énergie qui se consume surtout dans l'amour. On perd sa vie à vouloir trop en faire. Il est possible de faire des choses importantes d'une manière moins urgente, comme si le sort du monde en dépendait.

Heureux les couples à la retraite qui ne tournent pas en rond et qui savent encore se surprendre, ils deviennent, ensemble, ce qu'ils sont appelés à être, des compagnons d'éternité.

Heureux les couples qui ne se prennent pas trop au sérieux, ils n'ont pas fini de rire d'eux-mêmes.

Heureux les couples qui conjuguent amour et humour au présent, ils créent une distance qui les rapproche de leur enfance.

Heureux les couples qui prient ensemble, ils se ménagent des aires de paix pour les jours de disette.

La vie de couple est une relation qui devrait être vécue comme une alliance à bâtir tous les jours, un don et un appel de Dieu à

# 10 clefs pour une fidélité créatrice

1. Accepter la retraite comme un temps de croissance et de repos, une création à faire, malgré un deuil à assumer et un avenir à construire autrement.

2. Faire confiance à la vie et aux projets qui transforment, au temps libéré qui nous apporte la maturité, ce à quoi nous sommes appelés à être.

3. Donner une qualité de présence au conjoint, aux enfants et petits-enfants, en les respectant dans leurs paroles et leurs silences, leurs joies et leurs tristesses.

4. Accueillir l'autre dans sa différence et l'aider à naître à son désir profond, au-delà de toute idéalisation, fusion, rêve, rôle, stéréotype.

5. Éviter toute expérience sexuelle extraconjugale qui mène la plupart du temps à une plus grande solitude, une plus grande confusion.

6. Communiquer à son partenaire ce que l'on vit pour créer un espace de communion où chacun est le gardien de la relation.

7. Redéfinir le projet commun, en lien avec l'aujourd'hui, dans les périodes de bonne santé comme de maladie, et redécouvrir le caractère unique de son conjoint en l'acceptant tel qu'il est et en le laissant libre.

8. Accepter l'autre tel qu'il est, un être limité et imparfait, en ne lui demandant pas ce que Dieu seul peut vraiment donner.

9. Risquer l'avenir sur le don de soi en redisant notre «oui» tous les matins, en s'abandonnant au Dieu fidèle qui prend plaisir à pardonner, en s'ouvrant à l'insaisissable de toute relation dans l'obscur du quotidien.

10. Reconnaître que l'autre est un mystère, qu'il a ses contradictions, mais que l'on peut toujours miser sur l'espérance de vieillir ensemble en gardant un espace ouvert et accueillant.

faire de l'amour l'expérience spirituelle de chacun. Tout un défi en ces temps où la différence n'est pas toujours respectée. Lorsque le couple arrive à la retraite, les conjoints ont déjà plusieurs années de vie commune. Ils ont épousé le chemin de l'autre, beau temps mauvais temps. Ce cheminement est l'offrande de sa présence que l'on fait à l'autre, une présence de tous les jours qui est une réciprocité, un partage, une fidélité. Cette présence à l'autre se transforme à la retraite, elle est une connivence à vivre et une fidélité à réinventer.

## Le sens de la vie

Vers 1900, la majorité des travailleurs, en Europe, étaient agriculteurs, artisans, petits commerçants et salariés. Le nombre de personnes de plus de soixante ans ne représentait qu'environ 5 % de la population. Le phénomène de la retraite est donc très récent. Ce terme de « retraite » est d'ailleurs peu approprié pour qualifier cette période de la vie où l'on continue à progresser. Faute d'un vocable nouveau, on s'en tient à celui-ci.

Auparavant, la retraite désignait une allocation monétaire offerte aux travailleurs qui ne pouvaient plus poursuivre leur tâche. L'ancien modèle du retraité qui cessait de travailler quand il avait atteint la limite de ses forces n'existe plus. Il n'y avait pas d'âge limite pour arrêter de travailler. Aujourd'hui, on peut planifier sa retraite plus jeune.

Le nouveau retraité est amené à réfléchir sur le sens de sa vie pour mieux épouser sa destinée et assumer les années qui lui restent à vivre. Cette nécessité de donner un sens à ses jours est inséparable du fait de vivre. Sa vie fut marquée en grande partie par le travail professionnel, maintenant il doit redéfinir ses objectifs et revoir ses priorités. Il est encore en pleine forme. Il multiplie souvent les projets et les voyages, s'implique dans des œuvres sociales, se connecte à Internet, multiplie les liens sur le Web. Il n'est pas rare de le voir entreprendre une nouvelle carrière, pas forcément par nécessité, mais par épanouissement personnel. Il veut vivre sa passion avant la pension. On appelle ces nouveaux retraités, ciblés par des agences de marketing, les *happy-boomers*.

Plusieurs d'entre eux alternent périodes de travail et de loisir. Ils font des choses qu'ils aiment et qui semblent inutiles : écouter de la musique, lire, méditer, aller à la pêche, danser, s'asseoir dans un parc, promener son chien, jardiner, rêver... Il n'est plus question de travailler à temps plein, mais ils mettent habituellement leur expérience au service d'organismes divers. La devise «À cœur vaillant rien d'impossible» s'applique bien à eux. Pour eux, réussir sa retraite, c'est réfléchir au temps libre dont on dispose, préciser ce que l'on désire faire, seul ou en couple, en intégrant joie de vivre et qualité de vie. C'est une succession de périodes actives et de repos. «Se retirer» devient alors un peu anachronique. La vie est devant soi, non derrière.

Comme on vit plus longtemps, la question du sens de la vie se pose avec plus d'acuité. Les retraités ont à se réapproprier une spiritualité qui est un chemin d'espérance, un dépouillement de ce qui est superflu, un retour vers plus de simplicité, une croissance intérieure. C'est une quête de sens qui fait un lien entre continuité et nouveauté, passé et avenir, échecs et réussites, devoir et plaisir. Les points de repère et les valeurs sont intériorisés pour une meilleure découverte de soi.

Le sens que l'on donne à sa vie et à sa mort va déterminer la manière dont nous allons vivre la retraite et le vieillissement. Nous avons porté plusieurs masques à l'école, au bureau, à l'usine, au travail... Le temps est venu de transmettre aux autres générations ce que nous avons reçu. La vie prend tout son sens lorsqu'on transmet aux plus jeunes des raisons de croire, d'espérer et d'aimer. On se sent utile en partageant ce qui nous fait vivre et ce en quoi nous croyons. Ne serait-ce pas le secret d'une vie plus heureuse? En accompagnant les plus jeunes, nous les aidons à devenir eux-mêmes.

La retraite nous questionne sur ce qui nous fait avancer et progresser. On mise sur nos acquis, on identifie nos valeurs, on revoit nos comportements, on assume ses contradictions, on se pose les questions qui créent du sens : «Qui suis-je?» «Pour quelle raison veux-je vivre ?» «Qu'est-ce que je veux faire du reste de ma vie ?» «Y a-t-il quelque chose ou quelqu'un après la mort ?» «Dieu existe-t-il ?»

# La gestion du temps

Si «la vie ne tient qu'à un fil», c'est que le temps file. Le sablier s'écoule de façon inéluctable depuis notre naissance. Dès que nous essayons de tenir le temps, il s'échappe comme du sable fin entre nos mains. «Ô temps, suspends ton vol», scandait le poète. Nous suivons son cours en ne pouvant le retenir ou l'accélérer.

Nous pensons avoir beaucoup de temps à la retraite, mais nombre de retraités se plaignent d'être débordés, de ne pas avoir assez d'années pour réaliser tous leurs projets, de ne pas pouvoir faire tout ce qu'il leur plaît. Notre désir est insatiable. Plus on vieillit, plus le temps s'envole. Il traverse notre vie comme une étoile filante. Plus on veut gagner du temps, plus on le perd. «On ne voit pas le temps passer», chante Jean Ferrat.

L'accroissement de l'espérance de vie fait que la coupure entre le travail et le temps libre de la retraite arrive de plus en plus tôt. Les rapports entre les générations et les exigences familiales en sont bouleversés. Quelques-uns ont parfois l'impression d'être pris en étau entre leurs enfants qui ont encore besoin d'eux et leurs parents vieillissants qui ont aussi besoin d'eux. C'est comme si d'un coup le temps se libérait et nous questionnait : Quelles sont nos priorités, nos choix de vie ? L'agenda ne nous impose plus sa loi. Nous aimerions établir nos horaires en fonction de nos aspirations profondes. Nous apprenons à lâcher prise en nous libérant des entraves qui nous empêchent d'apprécier le temps qui passe.

À la retraite, nous ne sommes plus devant un choix de carrière, mais un choix de vie. Nous ne recherchons pas la promotion sociale mais la réalisation de ce que nous sommes. Ce n'est plus le *Time is money* des hommes d'affaires mais le *Time is free* des poètes. Notre temps est riche de sa gratuité. La tentation est grande de se lancer dans de nombreuses activités au lieu de s'arrêter pour écouter le pouls du temps qui bat la mesure. Nous avons à apprendre à ne rien faire en se donnant des moments de liberté, à s'entourer de belles choses et de couleurs reposantes, à renouer avec des valeurs spirituelles. La compagnie d'animaux favorise aussi cette détente qui améliore le sommeil.

Le défi est tout de même de taille. Comment organiser nos journées alors qu'on déborde de vie et qu'on ne fonctionne plus selon un horaire convenu, comme au temps du travail professionnel? Donnons-nous un peu de temps pour bien connaître nos attentes, tout en respectant notre rythme. Il faut aussi accueillir un certain vide qu'occasionne l'ennui. On peut alors saisir l'importance du moment présent, goûter le silence et la musique des petites choses. Nous n'avons pas à nous sentir coupables de ne rien faire, de se détendre, de débrancher le téléphone, de rêver… La culpabilité n'apporte rien de bon, elle empoisonne la vie.

La retraite est un va-et-vient constant entre l'extérieur et l'intérieur, la surface et la profondeur. En profitant pleinement de nos temps libres, nous apprivoisons notre liberté, nous améliorons notre qualité de vie et nous continuons à monter. Le temps est comme une échelle, la vie une ascension, la retraite une étape qui peut être stimulante, comme les autres périodes de notre vie.

> Être retraitée ne signifie pas, pour moi, vivre dans un état d'attente et de farniente à longueur d'année. Cette nouvelle partie de ma vie peut être aussi enrichissante et stimulante que l'ont été les précédentes. Seuls les temps de retrait peuvent me permettre d'apprivoiser ma liberté, d'explorer davantage mes richesses intérieures et de développer un art de vivre qui tienne compte de mes talents et de mes expériences, mais aussi de ce qui est demeuré jusqu'à maintenant inexploité et en friche.
>
> (Claire Blanchard de Ravinel, Hubert de Ravinel,
> *Le temps libéré. Dialogue sur la retraite*, Montréal, Novalis, 2003, p. 28)

# Reprendre son élan

Une seule vie nous est prêtée, on a donc intérêt à s'ajuster pour bien la vivre, pour reprendre son élan après un temps d'arrêt. Rien n'est parfait ici-bas. Le premier versant de la vie se situe autour de la vingtaine, le deuxième apparaît à la quarantaine et le troisième à la soixantaine. Il n'est pas vrai qu'à cet âge le retraité est non productif et qu'il est une charge pour la société. Le danger est d'y croire et de s'endormir dans une routine confortable, sans aucune remise en question, alors que nous pouvons être actifs et créateurs, à notre manière. Ce que nous sommes devenus par l'expérience de la vie peut être enrichissant pour tous.

Si l'on prend une pause à cette étape de notre existence, c'est pour mieux aller de l'avant. La foi nous aide à garder l'élan, à avancer dans le réel, à ne pas perdre contact avec ce qu'il y a d'humain et d'intime en nous. C'est à une retraite intérieure que nous sommes invités, comme nous le propose Patrice de La Tour du Pin, poète de la spiritualité :

> La retraite que je vous propose ne se trouve pas dans l'espace, mais au plus intime, et la solitude n'y est pas un isolement.

(Patrice de La Tour du Pin, *Une somme de poésie* I, Gallimard, 1981, p. 201)

La personne qui intègre bien la retraite dans sa vie quotidienne est plus en mesure de discerner les besoins importants autour d'elle et d'y répondre au meilleur de ses capacités. Elle n'a plus l'illusion des grandes réussites et des médailles d'or, son action est d'autant plus durable. Elle tient son âme égale et confiante si elle est croyante, comme l'exprime si bien le Psaume 130 (131) :

> Seigneur, je n'ai pas le cœur fier
> ni le regard ambitieux;
> je ne poursuis ni grands desseins,
> ni merveilles qui me dépassent.

Non, mais je tiens mon âme
égale et silencieuse;
mon âme est en moi comme un enfant,
comme un petit enfant contre sa mère.

 ## Pour les croyants

La personne croyante allie intériorité et extériorité, contemplation et engagement. Elle ne se renie pas elle-même en s'investissant dans les activités de la communauté, en luttant pour la justice, en approfondissant sa foi par des lectures et des cours, une vie de prière, du bénévolat, selon son aptitude. Elle regarde la mort en face avec confiance, met de l'ordre dans ses affaires, se rend disponible à ce qui vit autour d'elle, crie sa joie d'être un enfant du Dieu de vie.

Un jour, ton jour, ô mon Dieu, je viendrai vers toi,

Et dans la formidable explosion de ma résurrection, je saurai enfin que la tendresse, c'est toi,

Que ma liberté, c'est encore toi.

Je viendrai vers toi, ô mon Dieu et tu me donneras ton visage.

Je viendrai vers toi, et je te crierai à pleine voix, toute la vérité de la vie sur terre.

Je te crierai mon cri qui vient du fond des âges :

«Père! j'ai tenté d'être un Homme et je suis ton enfant... »

(Jacques Leclercq, *Le jour de l'homme, op. cit.*)

# Du temps pour contempler

Il est bon de se réserver des plages de temps à la retraite pour contempler, méditer, voire prier. Se retrouver seul avec soi-même, en toute quiétude et gratuité, est très reposant; on n'embête pas les gens occupés qui misent sur la rentabilité, la productivité, la compétitivité. Ces gens souffrent du syndrome des trois EEE : essoufflement, énervement, éparpillement. On peut passer une fin de semaine dans un monastère, par exemple, ou dans un endroit silencieux qui favorise la méditation.

Si on ne trouve pas de temps quotidien pour la prière, c'est que celle-ci n'est pas aussi vitale que l'air qu'on respire et que l'union à Dieu n'est pas une priorité pour nous. Pourtant, que de personnes sont convaincues des bienfaits de la prière. Elles en retardent sans cesse la pratique régulière en se lançant dans d'autres activités. Nous avons tendance à tellement charger nos horaires que nous n'avons plus d'espace pour méditer ou contempler, pour vivre le moment présent. La retraite est l'occasion d'alléger nos bagages pour goûter à l'instant ce bain de jouvence qu'est la prière intérieure[1].

Vivre le moment présent de chaque aujourd'hui, c'est découvrir l'insolite qui se devine au réveil, l'imprévu caché au cœur du quotidien, l'inespéré d'une prière silencieuse. Il n'est pas vrai que la vie de tous les jours est sans intérêt, que rien ne rougeoie dans ce qui est habituel et proche. La beauté des jours ordinaires se livre en secret au cœur attentif. L'inexplicable quotidien se révèle dans l'événement familier pour qui sait regarder, contempler.

Vivre sa retraite, c'est trouver au simple labeur journalier de quoi embellir ce qui paraît banal. Le passé ne nous trouble pas, l'avenir ne nous inquiète pas non plus, seul compte un regard de confiance dans l'instant présent.

---

1· Voir la collection «Les chemins de la prière» aux Presses de la Renaissance et aux éditions Novalis, en collaboration avec la revue *Prier*.

**Pour les chrétiens**

Que ce soit cinq minutes ou une heure, chacun est libre de fixer quotidiennement un rendez-vous avec Dieu. Quel est le moment de la journée qui nous convient le mieux pour prier : le matin, le midi ou le soir ? La prière va pénétrer toute notre vie si nous fixons un moment précis où nous sommes, devant Dieu, simplement, avec des mots ou en silence. L'important est de s'y tenir, ou de s'y remettre si on a oublié. Il ne faut jamais se décourager, nous sommes toujours des « commençants » dans la prière, jeunes ou vieux.

Ce temps pour Dieu devient le temps de Dieu. C'est un temps d'écoute et d'intériorité où nous nous rendons disponibles à sa présence en nous, réceptifs à sa Parole. L'Esprit de Dieu nous prend dans son rythme et nous conduit où il veut. Il nous aide à dresser le bilan de ce que nous avons réalisé et de ce que nous voulons vivre, de ce qui a été satisfaisant et de ce qui l'a moins été. Il nous guide dans la lecture de la Bible, ou d'un livre de spiritualité, nous inspire à réinventer sans cesse notre vie, nous incite à la déposer entre les mains de Dieu.

Pourquoi ne pas commencer la journée en lisant lentement un psaume ? On le laisse descendre en soi, on s'y imprègne jusqu'à ce qu'il devienne notre bâton de pèlerin pour la journée. Chaque jour est donné par le Seigneur, maître du temps : « Mes jours sont dans ta main » (Psaume 30 (31), 16). Si le temps nous semble long, il est bien relatif devant l'éternité. La prise de conscience de notre finitude nous donne un peu de sagesse à la retraite, afin de tirer profit de la vie qui passe. Nous regardons notre vie avec tendresse, et même si nous avons souffert, si nous n'avons pas toujours été à la hauteur de ce que nous aurions dû être, elle a tout de même un sens pour tout l'amour reçu et donné, malgré la douleur et la nuit.

D'âge en âge, Seigneur,
tu as été notre refuge.

À tes yeux, mille ans sont comme hier,
c'est un jour qui s'en va, une heure dans la nuit.

Apprends-nous la vraie mesure de nos jours :
que nos cœurs pénètrent la sagesse.

(Psaume 89 (90), 1, 4, 12)

## Poème

Heureux qui se lève tôt
pour chercher la sagesse,
il la trouve assise à sa porte.

Heureux qui se consacre
à l'inutile gratuité,
il entre en vacances chez Dieu.

Heureux qui prend le temps
d'exister simplement,
il croise l'Auteur du septième jour.

Heureux qui plonge
dans les racines de son être,
il sent la source sourdre en lui.

Heureux qui se reconnaît
mendiant d'absolu,
il nomme l'appétit de son cri.

Heureux qui découvre
son visage intérieur,
il bascule dans la joie.

Heureux qui regarde l'autre
comme Dieu le voit,
il devient ce qu'il contemple.

Heureux qui se repose en Dieu,
il ne fatigue pas les autres.

Jacques Gauthier,
*Prières de toutes les saisons*,
Bellarmin/Parole et Silence, 2007,
p. 72.

# 4
# Devenir grands-parents

C'est pour toi que je joue, grand-père, c'est pour toi
Tous les autres m'écoutent, mais toi tu m'entends
On est du même bois, on est du même sang
Et je porte ton nom et tu es un peu moi

Georges Moustaki, *Grand-père*

Nous avons eu la grâce, mon épouse et moi, de voir naître notre petite-fille Maïka, en participant à l'accouchement de notre fille. C'était le 25 août 2004, j'avais cinquante-deux ans et mon épouse quarante-neuf. Nous étions dans la moyenne d'âge du début de la «grand-parentalité» qui culmine dans la soixantaine. L'un de mes amis m'a dit en riant : «Eh bien, ce soir tu vas dormir avec une *mémère*.» Il aurait pu dire une mamie, ça aurait été plus gentil. Qu'importe, je me suis senti vieillir d'un coup. Mais je ne savais pas encore que ce nouveau statut de *pépère* m'apporterait tant de satisfaction. Que c'est merveilleux de tenir dans ses bras l'enfant de son enfant!

Ces images d'un grand-père voûté, à la barbe blanche, et d'une grand-mère qui se berce, en tricotant, sont très ancrées dans notre mémoire mais ne correspondent plus à la réalité. Les grands-parents d'aujourd'hui sont actifs de plus en plus tard et s'investissent dans ce qui leur plaît. Ils sont souvent en pleine forme et plus autonomes, surtout financièrement pour la plupart. Ils conduisent leur voiture, connaissent l'informatique et ont plus de temps pour voyager, même si parfois ils souffrent de solitude, d'ennui, du sentiment d'être inutile et abandonné. Léo Ferré chante cet «âge d'or», que nous verrons au chapitre suivant :

Nous aurons du pain
Doré comme les filles
Sous les soleils d'or,
Nous aurons du vin,
De celui qui pétille,
Même quand il dort,
Nous aurons du sang
Dedans nos veines blanches,
Et le plus souvent
Lundi sera dimanche,
Mais notre âge alors
Sera l'âge d'or.

# Un sentiment d'appartenance

Il y a dans chaque naissance un mystère qui nous dépasse. Comme l'écrivait si bien Péguy dans *Le Porche du mystère de la deuxième vertu*, en parlant de la petite fille Espérance, « celle qui toujours commence » : « Il y a dans ce qui commence une source […] Un départ, une enfance que l'on ne retrouve pas. » À chaque naissance, nous naissons comme grands-parents, nous participons à la promesse de ce qui commence. C'est une création qui jaillit de deux branches familiales. Nous avons passé le relais, transmis le flambeau, nos enfants prolongent la généalogie. Ils continuent la chaîne des générations à leur manière, en faisant leur possible. Nous ne naissons pas parents et grands-parents, nous le devenons. Nous sommes à notre insu des passeurs de mémoire, des repères de continuité, des transmetteurs de sens, comme ces arbres aux racines profondes qui protègent et rafraîchissent.

Heureux l'enfant ou l'adolescent s'il peut compter sur le soutien de la famille élargie pour intégrer les valeurs qui l'aideront à vivre : grands-parents, parrains et marraines, oncles et tantes, cousins et cousines. Ils assurent un rôle de relais quand la communication devient plus difficile avec les parents, au moment d'une séparation, par exemple. Au contact de ses grands-parents, l'adolescent peut découvrir une autre facette de sa personnalité et tisser de nouvelles relations avec ses parents.

Les petits-enfants s'imprègnent de la vie des aînés, de leur humour et de leur sagesse. C'est en les côtoyant qu'ils ont envie de grandir. Les grands-parents sont un point d'ancrage et de stabilité dans une société en mutation où les horaires surchargés prennent du temps sur la vie familiale. En prenant du temps avec leurs petits-enfants, ils créent un sentiment d'appartenance et de bien-être. Ils s'en font moins qu'à l'époque où leurs enfants étaient petits; ils ont l'expérience des fièvres et des otites enfantines. Leurs gestes d'accueil et d'affection sécurisent leurs petits-enfants et cultivent ainsi l'esprit de famille, même si les types de famille varient beaucoup de nos jours : monoparentales, reconstituées, etc.

### Pour les croyants

Naître, grandir, devenir parents et grands-parents, c'est une grâce, c'est-à-dire un cadeau de la vie, un don de Dieu, si nous sommes croyants. Cela nous rend gracieux. Quelle joie de voir en nos petits-enfants la fécondité de la vie et la continuité de l'alliance entre Dieu et l'humanité! Ils sont d'abord des êtres uniques, des enfants de Dieu, créés à son image, que Jésus est venu nous révéler comme étant notre Père. De cette source divine découlent plusieurs filiations : notre enfant devenu parent et nous-mêmes grands-parents, notre famille immédiate et élargie, le conjoint ou la conjointe de notre enfant, ses parents et sa famille.

Les petits-enfants prennent ainsi leur rang dans la filiation humaine et divine; cela stimule notre amour et galvanise notre espérance. Ils resteront des êtres inachevés, des créations à faire, des chercheurs de sens qui se poseront à leur manière la grande question qui englobe toutes les autres : « Qui suis-je? » L'espérance lui donnera l'élan nécessaire pour marcher sur la route qui mène à son désir : cette petite flamme qui veut tout envahir, cet absolu au fond de l'être qu'on ne peut pas atteindre pleinement.

# Un récit de vie

Chaque enfant est un chapitre plus ou moins heureux dans le livre de vie de leur famille, chacun en poursuit le récit à sa manière. En racontant quelques anecdotes significatives sur leur enfant, les grands-parents perpétuent le cycle des générations. Ils aident leurs petits-enfants à prendre conscience que leurs parents ont aussi été enfants et adolescents et que chacun fait son chemin pour devenir adulte. Les grands-parents sont pour lui un repère dans ce récit, un lieu stable de la mémoire familiale. S'ils jouent parfois un rôle parental de substitution, cela ne peut durer qu'un temps. Ils ont à renvoyer leurs petits-enfants à leurs parents, et à encourager ceux-ci en leur disant qu'ils sont de bons parents. La mission des grands-parents est de soutenir leurs enfants et petits-enfants dans l'amour gratuit.

Puis le jour arrive où les petits-enfants d'hier deviennent parents à leur tour. Mettre un enfant au monde, c'est poser un geste de foi et de confiance en l'avenir. Dire oui à la vie alors qu'on nous bombarde constamment de mauvaises nouvelles (crise alimentaire, financière, économique, guerres, abus de pouvoir), oser l'avenir alors qu'il semble bloquer (pollution, chômage, pouvoir d'achat restreint), c'est prendre le pari de la foi, sans qu'elle soit nécessairement religieuse. Croire sera toujours un risque, et c'est le grand défi d'aujourd'hui, au-delà du savoir et du pouvoir.

Les grands-parents se situent dans ce risque du croire et de la confiance. Ils veulent aider leurs petits-enfants à bâtir leur identité, à s'insérer dans un récit de vie, pour qu'ils parviennent à leur véritable naissance et adviennent à leur humanité. Ils ne peuvent que les accompagner dans leurs passages en leur facilitant la confiance en eux-mêmes et en les autres, pour qu'ils reprennent sans cesse le mouvement continu de leur création.

Les séparations dans les couples, les déménagements à cause du travail, les impératifs de la vie économique font en sorte que bon nombre de grands-parents ne voient pas souvent leurs petits-enfants. Ils s'en plaignent parfois dans les magazines et dans différentes associations vouées à la famille. Bien sûr, il y a le téléphone, Internet, mais que de messages laissés sur un répondeur demeurent sans réponse! Cette souffrance des grands-parents est assez répandue. Benoît XVI y faisait allusion dans son discours de clôture des V$^e$ Rencontres mondiales de la famille le 8 juillet 2006 à Valence :

> Je souhaite m'adresser maintenant aux grands-parents, si importants dans les familles. Ils peuvent être – et souvent ils sont – les garants de l'affection et de la tendresse que tout être humain a besoin de donner et de recevoir. Ils donnent aux plus jeunes le sens du temps, ils sont la mémoire et la richesse des familles. Qu'ils ne soient, sous aucun prétexte, exclus du cercle familial! Ils sont un trésor que nous ne pouvons pas soustraire aux nouvelles générations, surtout quand ils donnent un témoignage de foi à l'approche de la mort.
>
> (Voir le site www.generation-benoit16.com)

## L'enracinement dans une mémoire

Les grands-parents transmettent à leurs enfants et petits-enfants un enracinement qui tient autant de la mémoire que de l'avenir. Cela se vit surtout autour de la table familiale, lors des repas, des fêtes et des anniversaires. Les recettes culinaires circulent ainsi de génération en génération. Les repas en famille et les récits de vie des grands-parents, leurs histoires et leurs prières, les conseils chuchotés en douce et les clins d'œil complices transmettent une culture à l'enfant, l'ouvrent sur le monde, l'aident à se situer dans le temps et l'espace. «De mon temps, il y avait... », ils sont surpris qu'on existât avant les couches jetables, les Mac Do, Internet, les jeux vidéo, l'iPod, le téléphone portable.

Les petits-enfants voient souvent leurs grands-parents comme des êtres solides qui sont passés à travers bien des épreuves et qui gardent espoir en la vie. Ils héritent ainsi des valeurs de confiance, de solidarité et de tendresse qui peuvent défier l'usure du temps. Certes, il n'y a pas de famille parfaite, d'enfants et de parents parfaits. Mais en regardant les grands-parents entourés de leur descendance, on saisit mieux que la famille est un projet de vie à long terme qui vaut la peine d'être poursuivi, même s'il en coûte des sacrifices. C'est toute la société qui est gagnante.

Les grands-parents rappellent à notre monde de compétition et de consommation que ce n'est pas la capacité de produire qui donne de la dignité à chaque personne, mais le fait qu'elle soit créée pour l'amour. Même s'ils habitent loin de leurs enfants ou s'ils se disent fatigués, ils nous transmettent qu'un peu plus de simplicité et de gratuité dans les relations, un peu plus d'émerveillement, de bienveillance et d'écoute attentive de l'autre sont des chemins de bonheur qui conduisent à la joie de vivre ensemble. Il s'agit juste de vouloir aimer et d'avoir l'occasion de manifester notre tendresse. Il n'y a pas d'âge pour cela. Et quel héritage pour l'avenir! Mais la réalité est parfois bien loin de ce rêve d'amour.

# Une référence morale et spirituelle

Les grands-parents sont souvent une référence morale et spirituelle pour leurs petits-enfants, qu'ils soient jeunes, adolescents ou adultes. Nous l'avons dit précédemment, leur rôle est de faire découvrir, partager, transmettre, former, laisser une trace, nourrir le désir, donner des racines. Ils n'ont pas à éduquer leurs petits-enfants, puisque c'est le rôle des parents. Ils ont à être présents à ce qu'ils vivent, à les accueillir tels qu'ils sont, à recevoir leurs confidences et leurs rêves, surtout au moment de l'adolescence, sans les juger. Le contact est d'autant plus facile si les grands-parents ne jouent pas aux grandes personnes qui savent tout. Ils sont assez proches de leur fragilité et de leur cœur d'enfant pour ne pas faire la morale inutilement. Les jeunes se sentent ainsi compris et n'ont pas besoin de s'opposer à eux.

En transmettant à leurs petits-enfants le désir de vivre et d'aimer, les grands-parents leur transmettent la foi en soi et en l'autre. Cette transmission se vit idéalement dans l'accueil, le pardon, le respect. Ces valeurs profondes cimentent les membres de la famille, qui ne sont jamais parfaits, et jettent les bases pour une société plus juste.

Mais qu'en est-il de la foi chrétienne qui a façonné nos sociétés occidentales de jadis? Elle ne se transmet pas comme un livre de recettes, un héritage du passé, un catalogue de traditions qu'on lègue automatiquement. La foi n'est pas un gène qui se transmet par l'hérédité, c'est un don de Dieu. Elle est une réponse libre à un appel personnel. La foi est toujours relationnelle; c'est un «je» humain qui entre en relation de confiance avec un «tu» divin qui l'aime d'une manière inconditionnelle.

 ## Pour les chrétiens

Les grands-parents constatent que leurs enfants et petits-enfants ne fréquentent plus l'église et cherchent ailleurs des raisons de vivre. Certains en souffrent et se sentent même coupables. Cette culpabilité ne mène à rien. Ils ont à faire confiance à leurs enfants et petits-enfants, sans être déçus s'ils suivent une voie différente. C'est à chacun de relever le défi de croire, de faire une expérience personnelle du Christ. Cela peut arriver lors d'une rencontre avec un membre d'un mouvement chrétien ou d'une communauté nouvelle, durant une retraite paroissiale, un partage lors d'une préparation sacramentelle, un pèlerinage de jeunes, une visite dans un sanctuaire, un engagement envers les plus démunis, un film sur Jésus, une lecture d'une vie de saint ou de sainte…

# Éveiller à la foi

La famille est le berceau naturel de la transmission des valeurs. Pour ce qui est de la foi chrétienne, on peut dire qu'elle sera toujours en mutation. Comment transmettre ce qui est par nature un don? Impossible. Les parents y renoncent souvent, ou par ignorance ou par relativisme : «Tout se vaut. Je veux le laisser libre. Il fera son choix plus tard. » C'est ainsi que les enfants devenus adultes partagent de moins en moins la foi de leurs grands-parents. S'ils n'ont plus la foi chrétienne, ce n'est pas nécessairement la faute de leurs parents. Chaque cheminement est différent et chacun doit respecter le choix de l'autre.

Les grands-parents sont parfois appelés à devenir des ouvriers de la onzième heure que le Maître envoie à sa vigne. Il ne s'agit pas ici de transmettre la foi d'une manière trop formelle, encore moins de façon autoritaire, mais d'éveiller à la foi. L'enfant lui-même décidera plus tard. Rares sont les enfants qui reprochent à leurs parents et grands-parents d'avoir voulu leur passer le flambeau de leur foi. C'est plutôt l'inverse que nous remarquons aujourd'hui. Faute de transmission, les jeunes doivent se bricoler des valeurs vacillantes dans un monde individualiste sans cesse en changement, et ils peuvent en faire le reproche à la génération des *baby-boomers*.

Les grands-parents, grâce au recul que leur donne l'expérience, peuvent être des éveilleurs de foi pour leurs petits-enfants en les écoutant, en les encourageant, en les rassurant, en les confiant à Dieu. Ils les éveillent à la foi par leur parole d'amour et leur exemple vivant. Ils peuvent nommer Dieu qui est présent dans leur vie, leur révéler qu'il y a quelque chose de saint en eux qui échappe à toute emprise. Ils peuvent aussi les faire entrer en contact avec ce qu'il y a de sacré en eux, par la contemplation d'un paysage ou par l'expérience communautaire de la liturgie.

Dieu est patient, son temps n'est pas notre temps. Il a un projet d'amour pour chacun de nous. Il nous appelle sans cesse à la confiance, car sa semence travaille jour et nuit. C'est lui qui fait grandir.

> Il en est du règne de Dieu comme d'un homme qui jette le grain dans son champ ; nuit et jour, qu'il dorme ou qu'il se lève, la semence germe et grandit, il ne sait comment. D'elle-même, la terre produit d'abord l'herbe, puis l'épi, enfin du blé plein l'épi.
>
> (Marc 4, 26-28)

## Pour les chrétiens

Aujourd'hui, les jeunes adultes ne vont plus à la messe, ou sporadiquement, lors des grandes fêtes comme Noël. Mon épouse et moi y emmenons parfois notre petite-fille, avec le consentement de sa mère. Un jour que nous étions en visite chez notre fille, nous avions décidé d'aller à la messe. Nous marchions avec notre petite-fille en direction de l'église, soudain elle dit avec fébrilité : « Vite, dépêchons-nous, Jésus nous attend. » Cette parole nous toucha profondément.

Notre exemple sera toujours le témoignage le plus crédible pour nos enfants et petits-enfants. Nous n'avons pas à les juger mais à les accueillir avec indulgence tels qu'ils sont. Rien ne sert de se culpabiliser s'ils ne pratiquent pas comme nous le voudrions, nous pouvons prier pour eux et les offrir au Christ, qui connaît bien notre humanité puisqu'il a vécu les réalités familiales avec Marie et Joseph. Il n'y a pas seulement la messe pour rencontrer le Christ, même si c'est la source et le sommet de la vie chrétienne. Lorsqu'il parle de pratique chrétienne, Jésus joue sur un autre registre qui a tant inspiré Mère Teresa :

> J'avais faim, et vous m'avez donné à manger; j'avais soif, et vous m'avez donné à boire; j'étais un étranger, et vous m'avez accueilli; j'étais nu et vous m'avez habillé; j'étais en prison, et vous êtes venus jusqu'à moi! [...] Chaque fois que vous l'avez fait à l'un de ces petits qui sont mes frères, c'est à moi que vous l'avez fait.
>
> (Matthieu 25, 35-36. 40)

Si les parents n'ont pas d'objection, nous pouvons prier avec nos petits-enfants, surtout s'ils dorment à la maison. Nous pouvons leur raconter un épisode de la vie de Jésus, lire avec eux une page de l'Évangile. Ils se souviendront de ce témoignage de tendresse vécu dans la prière. Mais si nos enfants ne sont pas à l'aise avec la foi, sachons nous faire discrets pour ne pas les agacer inutilement. Ils ont leurs raisons. Ne nous encombrons pas d'intention éducative et religieuse dans tout ce que nous faisons, mais soyons vrais à tout ce qui se présente. Il faut attendre avec espérance le bon moment pour partager la Bonne Nouvelle qui nous fait vivre. On ne peut rien imposer, seulement suggérer, et peut-être donner le goût de l'Évangile. Restons authentiques et à l'écoute, disponibles et discrets.

# Une bonne communication

On ne naît pas parents et grands-parents, on le devient, et on n'a jamais fini de le devenir. Ayons confiance en notre rôle en favorisant une bonne communication dans la famille. J'ai énuméré quelques règles de base que je développe dans mon guide *Les défis du jeune couple*. Pourquoi ne pas réfléchir sur chacun de ces points en écrivant vos réflexions et en les partageant ensemble ? En voici quelques-uns : faire son possible, accepter ses limites, se savoir humain et imparfait, considérer que nous sommes toujours en croissance, aimer avec son cœur et avec sa tête, vouloir établir une relation affective avec l'enfant, dialoguer en prenant le temps avec l'enfant.

Cette communication se vit au jour le jour, par exemple, lorsque nous préparons les repas, écoutons nos petits-enfants, pleurons et rions avec eux. Lorsque nous nous retrouvons ensemble autour de la table, nous avons sans cesse à nous accueillir tels que nous sommes, c'est la vie qui se communique. Lorsque notre vie familiale est tissée de ces « bonjour », « merci », « bonsoir », « pardon », nous ne sommes pas loin de la prière, la nôtre.

 ## Pour les croyants

Dieu ne nous force pas à croire et respecte notre liberté. Faisons de même pour nos enfants et petits-enfants. Par contre, nous pouvons prier pour eux, demander au Seigneur qu'il se révèle à eux. La prière d'intercession pour nos enfants est souvent ce que nous pouvons faire de mieux, surtout si nous ne les voyons que de temps en temps, les familles étant parfois installées bien loin de la maison natale. Mais la prière transcende le temps et l'espace, que nous soyons dans la ferveur ou dans la sécheresse. Je vous propose celle-ci :

Père, tu sais combien nous aimons nos enfants et nos petits-enfants. Toi aussi tu les aimes. Ils sont tiens comme ils sont nôtres. Tu nous les as prêtés, nous te les confions. Envoie ton Esprit pour qu'il éclaire leurs chemins de vie. Même si ton Église ne les attire pas beaucoup, qu'ils découvrent la beauté de l'Évangile et qu'ils sachent que le Christ est le Vivant qui donne un sens à la vie, jusqu'au jour où nous serons rassemblés tous ensemble dans ton Royaume. Amen.

## Poème

Elle imagine que son sourire
va arrêter le soleil
entre ses dents
que ses taches de rousseur
vont retenir l'été
que sa main volera le moineau
revenu des flaques de la joie
dans sa bure franciscaine

Ses yeux nous embrassent
ses petits bras nous abaissent

à hauteur des genoux
ses balbutiements nous nomment
résonance du désir
qui la mette au monde
pieds nus
debout sur nos mots
marmonnés

Jacques Gauthier,
*Au bord de la Blanche.*

# 5
# L'art de vieillir

On me demandait l'autre jour :
« Qu'est-ce que vous faites ?
— Je m'amuse à vieillir, répondis-je. C'est une occupation de tous les instants. »

Paul Léautaud, *Journal littéraire*

L'actrice américaine Jane Fonda expliquait dans son auto-biographie que tout avait commencé pour elle à l'approche de la soixantaine : « Qu'on le veuille ou non, le passage de soixante ans marque le début de l'ultime acte de notre exis-tence[1]. » À cet âge, nous savons que vivre sans vieillir est une utopie. Si tous n'adoptent pas pour autant un meilleur style de vie, certains voient venir la vieillesse à la vitesse grand V. Il en résulte souvent une meilleure reconnaissance des limites, voire une acceptation.

Les sexagénaires ont assez d'expérience pour repérer les insuffi-sances de l'existence sans en faire un drame. La vie est ainsi faite : injustices, désordres, violences, accidents. Mais elle est aussi bonté, pardon, douceur, joie. Tout n'est pas noir ou blanc. Le bon grain ne pousse-t-il pas avec l'ivraie, et la verdeur de la vie ne côtoie-t-elle pas les pires sécheresses ? Et puis, sans verser dans l'idéalisme, il y a pour beaucoup le plaisir de devenir grands-parents, de relever de nouveaux défis, de réaliser quelques projets, de partager une certaine sagesse de vie avec les plus jeunes.

1· Jane Fonda, *Ma vie*, Plon, 2005.

# Vieillir et vivre

Le phénomène du vieillissement est un processus qui commence dès la naissance. Vieillir fait partie de la vie. Il y a d'ailleurs le mot « vie » dans « vieillir » et « vieillesse ». La vie qui nous est transmise dès la conception ressemble à un feu qui grandit avec l'âge. C'est une étincelle à la naissance, une flamme dès l'enfance, un incendie durant l'adolescence, une braise à mesure que l'on vieillit. La maladie peut l'atténuer mais non l'éteindre. Le feu couve, la vieillesse peut le ranimer si on n'abdique pas d'aimer. Tant qu'il y a de l'amour et de l'amitié, des êtres chers à qui confier un secret, le feu de la vie se ravive sans cesse.

> Nous avons des rides autour des yeux parce que nous avons ri ; sur le front parce que nous avons réfléchi ; autour de la bouche parce que nous avons serré les dents quand nous avions des obstacles à surmonter. Nous avons vécu.
>
> (Merrily Weisbord, *Nous, demain : vie, amour, sexualité et vieillissement*, Montréal, VLB éditeur, 1994, p. 30-31)

Vieillir, comme grandir, est intrinsèque à chaque âge de la vie qui est marqué par une rupture pour mieux s'ouvrir à ce qui vient : quitter l'enfant joueur pour l'adolescent rêveur, caractérisé par l'affirmation de soi et l'instinct sexuel ; quitter l'adolescent pour l'adulte, défini par l'expérience et les limites de son être ; quitter l'adulte réaliste et responsable pour la vieillesse, marquée par l'intériorité et la fin qui approche.

Le commencement et la fin font partie du tout de la vie. Dès que les êtres et les choses existent, leur achèvement débute. L'enfance est un élan qui se situe dans le prolongement de la vie. La vieillesse est une fin qui influence aussi la vie par le fait que cette fin est présente dès la naissance. C'est comme le dernier mouvement d'une symphonie, le dernier trait du peintre, le dernier vers d'un poème qui dévoilent aussi le début de l'œuvre. Ce sentiment de la fin donne à la vie une urgence, une gravité.

Nous le verrons au chapitre 7, les âges de la vie doivent se côtoyer et s'enrichir les uns les autres. Tout ce qui est coupé de l'ensemble de la vie s'étiole et meurt ; tout ce qui y est rattaché vit, s'épanouit, se réalise. De nos jours, le pont entre les générations ne semble pas toujours ouvert à cette circulation de la vie. Les aînés ne profitent pas assez de l'émerveillement des plus jeunes et les plus jeunes de l'expérience et de la compréhension des plus vieux.

Nos sociétés individualistes et urbaines opèrent un clivage entre les jeunes et les anciens. Peut-être parce qu'on n'accueille pas assez la personne âgée pour ce qu'elle est. C'est comme si on leur interdisait le droit d'être «vieux», de transmettre une leçon de vie qui passe par l'acceptation sereine de l'âge. On perçoit trop les personnes âgées comme des êtres dépendants et inutiles qui n'apportent rien à la société, même si uniquement 7 % d'entre elles ne sont pas autonomes. Il faut donc désenclaver les âges de la vie, sinon on tombe dans l'âgisme qui marginalise les aînés. N'est-ce pas une variante du racisme et du sexisme ?

La vieillesse représente plus que le simple fait de vieillir, c'est un état de vie et un rendez-vous avec soi-même. La science de la gérontologie en parle comme d'un stade de développement qui a ses lois et ses principes. La personne âgée n'est pas un adulte en régression, comme l'enfant n'est pas un adulte en miniature, mais un être différent qui a évolué, progressé. Il a sa propre psychologie et créativité. La vieillesse n'est pas une maladie, pas plus que l'enfance, l'adolescence, la quarantaine. Ce fut le grand témoignage de Jean-Paul II d'avoir su vieillir avec courage et sérénité devant les caméras, sans fausse honte, malgré la maladie qui diminuait son corps.

Le dernier versant de la vie contient des valeurs que l'aîné peut vivre intensément : sérénité, intériorité, authenticité, transparence, paix, sagesse. À l'instar de l'enfant, il n'a qu'à être, et vivre intensément de tout son être la totalité de la vie. Pour cela, nul besoin de se distraire à outrance et de fuir la solitude, mais de tendre vers le détachement et d'accepter sa propre vulnérabilité.

Accepter et aimer sa solitude, c'est s'accepter et s'aimer soi-même. La solitude que l'on choisit comme une amie n'est plus menaçante. On peut se retrouver seul sans toujours se sentir abandonné par les autres et par Dieu, à moins que nous vivions des épreuves particulières, comme nous le verrons au chapitre suivant. Plus on est capable de vivre seul, sans se sentir isolé, mieux on peut vivre avec autrui, car on ne ressent pas le besoin d'être admiré, compris, entouré. Nous ne sommes plus obsédés par le désir de la réussite et l'approbation de tout le monde. La solitude, si longuement accueillie et apprivoisée, sera notre dernière compagne à l'heure de la mort. « Non, je ne suis jamais seul avec ma solitude », chante Georges Moustaki.

# L'âge d'or

Aujourd'hui, les personnes âgées se regroupent en associations d'aînés, en clubs de l'« âge d'or ». C'est le « pouvoir gris », a-t-on déjà dit. La démographie leur donne raison ; on parle de plus en plus de *papy-boom*. Les aînés ont des chartes des droits et libertés, comme celles qui ont été promulguées en France et aux États-Unis. On y affirme, entre autres, que les citoyens âgés ont le droit de poursuivre leur épanouissement, d'être utiles, de choisir leur mode de vie et leur logement, de garder leur place dans la cité, de rester en contact avec les autres générations, surtout leurs enfants et petits-enfants. Leur avenir est intimement lié à l'amour que la famille leur apporte et à la reconnaissance de la société. La famille et la société ne devraient pas les considérer uniquement comme des consommateurs ou des gens que l'on doit placer dans des maisons de retraite.

L'aîné témoigne de la finitude humaine et du grand voyage qui approche, au moment où son expérience lui permet d'être enfin un homme. Comme l'écrivait Malraux dans *La condition humaine*, il faut soixante ans pour faire un homme, soixante ans de sacrifices, et quand cet homme est fait, il n'est plus bon qu'à mourir. Certes, on peut vivre longtemps en bonne santé, mais on ne guérit pas de la vieillesse et de la mort.

« Ne prenez pas la vie trop au sérieux, disait un humoriste anglais, vous n'en sortirez pas vivant. » Ce qui ne veut pas dire qu'il faut voir la vieillesse comme un passe-temps inutile, un loisir de plus pour rester jeune. Ne tombons pas dans le « jeunisme », nous sommes tous de futurs vieux, à moins que l'on meure avant. Mieux vaut donc prendre ces derniers temps de la vie avec humour en se moquant de ses défauts, en riant de soi comme un enfant, ce qui est tout un art.

Si la mort est la seule certitude que nous avons, nous ne savons ni le jour ni l'heure. L'«âge d'or» est donné pour s'y préparer et vivre les dernières transformations en toute lucidité : passer d'un cœur de pierre à un cœur de chair, devenir fort et grand en acceptant notre faiblesse et petitesse, apprendre à nous assouplir spirituellement au lieu de nous durcir, trouver des raisons d'espérer au lieu de se lamenter.

· · · · · · · · · · · · · · · · · · · · · · · · · · · · · · · · · · · · · · ·

 ## Pour les chrétiens

Dans la Bible, la vieillesse est évoquée par ce type d'expressions : «la longueur des jours» ou «avancer en âge». C'est une autre manière d'exprimer le «bel âge» ou l'«âge d'or». Les décennies défilent au rythme des saisons.

Avec le psalmiste, nous nous appuyons sur notre finitude pour l'abandonner au rocher éternel :

> D'âge en âge, Seigneur,
> tu as été notre refuge.
>
> (Psaume 89 [90], 1)

Quel contraste entre l'éternité de Dieu et la brièveté de la vie humaine! Comme l'herbe fleurit le matin et se fane le soir, nous qui ne sommes que poussière, nous changeons au fil des ans. Mille ans représentent un long intervalle de temps, mais pour Dieu, ce n'est rien :

> À tes yeux, mille ans sont comme hier,
> c'est un jour qui s'en va, une heure dans la nuit [...]
> Le nombre de nos années? soixante-dix,
> quatre-vingts pour les plus vigoureux!
>
> (Psaume 89 [90] 4, 10)

· · · · · · · · · · · · · · · · · · · · · · · · · · · · · · · · · · · · · · ·

# Le leurre de la jeunesse

La société vieillit; on fait moins d'enfants. Les travailleurs n'arrivent plus à financer les régimes de pension pour les générations futures. Paradoxalement, on exalte les mythes d'une société juvénile et «adolescentrique»: force, beauté, santé, vitesse, liberté. On veut vivre, mais sans vieillir, car vieillir tue.

Quiconque refuse de vieillir n'est-il pas déjà mort, puisque c'est le propre de la vie de se développer, de se transformer, de mûrir? Un être meurt, un autre naît. Quelle utopie funeste de ne pas voir le vieillissement comme une étape normale de la vie, un chemin de sagesse, lit-on au livre des Proverbes:

> C'est une couronne d'honneur que les cheveux blancs, sur les chemins de la sagesse on la trouve.

(Proverbes 16, 31)

Il n'y a rien de nouveau sous le soleil. Cette quête d'une fontaine de Jouvence hante l'humanité depuis des siècles. Alors que des millions de *baby-boomers* atteignent la soixantaine, la science fait des percées spectaculaires en génétique pour ralentir le processus de vieillissement. Peut-être verrons-nous des médaillés de plus de cinquante-cinq ans aux Jeux olympiques. Vivre au-delà de cent ans ne sera pas exceptionnel. Toute une gageure pour garder la flamme dans le couple et maintenir une motivation au travail, sans parler de l'âge de la retraite qui sera retardé. On parle de la possibilité de prendre sa retraite à soixante-dix ans en France.

Le défi me semble surtout d'ordre spirituel. Comment vieillir en créant du sens autour de soi, en répandant de la signification pour les générations à venir, en accomplissant sa tâche jusqu'au bout? Comment mourir si l'humain ne consent pas à sa finitude, s'il refuse qu'une autre vie s'inaugure en dehors de sa propre maîtrise? Comme le fredonnait Petula Clark: «Tout le monde veut aller au ciel oui mais personne ne veut mourir.»

D'ici ce temps, on rêve de vivre toujours. Des scientifiques font miroiter quelques promesses: se guérir par les cellules souches, par des médicaments adaptés au profil génétique de la personne, par des suppléments alimentaires aux pouvoirs antioxydants illimités. À qui cela servira-t-il ? Surtout aux riches et aux puissants de ce monde qui auront les moyens d'allonger leur vie. Ils pourront gagner encore plus d'argent, au détriment des moins nantis et de l'environnement de la planète.

Il est louable de vouloir vivre en bonne santé le plus longtemps possible et d'être autonome jusqu'à la fin de ses jours. Mais l'idéal d'une jeunesse à conserver devient un leurre si on prend soin seulement du corps et non de l'âme, si on désire son épanouissement personnel au détriment de celui de l'autre. « Que sert à l'homme de gagner l'univers s'il vient à perdre son âme », disait Jésus.

Lorsqu'on est jeune, on joue à se vieillir. Lorsqu'on vieillit, c'est le contraire. Regardons la couverture des magazines de mode. Quand la vie se résume à la couleur des cheveux et aux kilos à perdre, on fait vite le tour du jardin. L'homme perd ses cheveux et il a l'impression de ne plus être séduisant, la femme grisonne et elle pense qu'on ne voit que cela chez elle. Il prend du ventre, elle n'entre plus dans son jean ; c'est la catastrophe. Vite la diète miracle. Le don Juan et la lolita cherchent la crème magique et les traitements de chirurgie qui retarderont les signes du vieillissement. On vieillit comme on a vécu, et personne n'échappe à ses propres gènes.

Pourtant, le vin ne livre tout son secret qu'après des années de mûrissement. C'est lorsqu'on renonce au bouquet d'un grand cru, qu'on devient vieux. Quiconque ne se révolte plus contre la bêtise est déjà mort. Et quelle est cette manie de toujours comparer la vieillesse à la jeunesse, comme si celle-ci avait toutes les vertus et que l'âge d'or n'avait pas de valeur en soi. En témoigne ce texte connu, attribué au général MacArthur :

> La jeunesse n'est pas une période de la vie, c'est un état d'esprit. On vieillit dans la mesure où l'on renonce à ses idéaux. Les années rident la peau, mais la perte de l'enthousiasme ride l'âme. L'inquiétude, le doute, le manque de confiance en soi, la peur, le désespoir, tout cela fait courber la tête et réduit en poussière un esprit qui aurait pu s'épanouir. Que l'on ait seize ou

soixante-dix ans, il y a au cœur de tout être humain l'amour du merveilleux, l'étonnement face aux étoiles et face aux pensées et aux choses brillantes, l'appétit insatiable comme un enfant pour ce que réserve l'avenir, la joie et le défi de la vie. Vous êtes aussi jeune que votre foi et aussi vieux que vos doutes, aussi jeune que votre confiance en vous et aussi vieux que votre peur, aussi jeune que votre espoir et aussi vieux que votre désespoir.

(Cité dans Sylvia McDonald, *Une retraite pleine de vie*, Montréal, Novalis, 1984, p. 83)

# La vie montante

Nous sommes bâtis pour monter. C'est peut-être pour cela que nous sommes des êtres debout. Mais parfois on monte en descendant. On dit qu'à la soixantaine commence «la vie montante». Elle est surtout descendante, plus près de la fin que du commencement. Le senior est rendu au troisième mouvement de la symphonie de sa vie. Il se souvient des premières notes de l'enfance, du tempo plus grave de l'adolescence et de la quarantaine, maintenant le sentiment de la mort lui offre une plus grande maturité. La signification profonde de cette œuvre va se jouer à la fin de son existence. Il l'accepte sans fausses notes, l'accueille sans cynisme, sachant que les choses sont éphémères et les possibilités limitées. Mourir, ça peut aller, ce n'est rien, chantait Jacques Brel, «mais vieillir... ô vieillir!».

Qui dit que l'on devient vieux quand on ressemble à son père? À quel âge commence la vieillesse? Certainement pas à soixante-cinq ans, même si on reçoit les chèques de pension des gouvernements. Le sexagénaire est riche de tout un savoir-faire qu'il a appris avec le temps. Il se connaît assez pour doser ses efforts et faire attention à sa santé. Très proche du réel, il ne dépense pas ses énergies inutilement. Il partage une certaine sagesse du cœur et de l'âme qui informe le corps. Sa vie est plus une mission ou une tâche à accomplir qu'une jeunesse à retrouver.

Même si les signes de vieillissement se manifestent petit à petit sur notre corps, le dynamisme et l'appétit de vivre restent intacts, car nous avons pour vocation d'aider les autres humains à s'accomplir. Est-ce cela avoir de l'âme? La vie est plus dense à mesure que la courbe de vie décroît et la santé plus précieuse lorsque le sentiment de notre précarité reste intact. La vue baisse, l'esprit croît, l'âge nous fait éclore.

> J'ai maintenant soixante ans bien sonnés. Je ne suis plus très jeune, mais je ne suis pas, non plus, vraiment vieille [...] J'ai l'air jeune. On me le dit et je veux bien le croire. Je suis enthousiaste et alerte comme il y a dix ou vingt ans. Mais je sais qu'avoir soixante ans, c'est me fatiguer un peu plus vite, me sentir moins souple et m'en rendre compte lorsque je dois aller chercher une casserole au fond du placard. C'est aussi éprouver la limite de ma résistance quand une soirée se prolonge et admettre que deux verres de vin suffisent, alors qu'auparavant on vidait aisément une bouteille à deux!
>
> (Claire Blanchard de Ravinel, Hubert de Ravinel, *op. cit.*, p. 64)

Alors, vie montante ou descendante? Encore ici, tout dépend de l'âge et de l'hérédité. On ne vit pas de la même manière à soixante ans qu'à quatre-vingts. Si l'on descend d'une famille où il y a eu beaucoup de maladies cardiovasculaires ou d'une autre qui a connu des cas de cancer, cela peut influer sur notre vieillesse. Chaque personne est unique. «On a déjà vu le feu rejaillir d'un ancien volcan qu'on croyait trop vieux», chante Jacques Brel dans *Ne me quitte pas.*

• • • • • • • • • • • • • • • • • • • • • • • • • • • • • • • • • • • • • •

### Pour les croyants

Une grâce s'installe en vieillissant qui ouvre sur l'infini. On avance dans le temps en se délestant de ce qui est inhumain. On a plus de liberté pour aimer, apprendre, découvrir, lire, méditer, prier. On peut faire de sa vie une œuvre à construire, même à quatre-vingts ans. Alors qu'on se croit rendu à la fin du voyage, au bout de la route, épuisé par la maladie, on découvre une nouvelle mélodie qui relance le cœur usé sur un sentier inédit. On s'en remet à Dieu, ou à un autre nom qu'on préfère, qu'importe, car au moment favorable il nous dira son vrai nom.

> Lorsque sur mon corps (et bien plus sur mon esprit) commencera à marquer l'usure de l'âge ; quand fondra sur moi du dehors, ou naîtra en moi du dedans, le mal qui amoindrit ou emporte ; à la minute douloureuse où je prendrai tout à coup conscience que je suis malade ou que je deviens vieux ; à ce moment dernier, surtout, où je sentirai que je m'échappe à moi-même, absolument passif aux mains des grandes forces inconnues qui m'ont formé ; à toutes ces heures sombres, donnez-moi, mon Dieu, de comprendre que c'est Vous (pourvu que ma foi soit assez grande) qui écartez douloureusement les fibres de mon être pour pénétrer jusqu'aux moelles de ma substance, pour m'emporter en Vous.
>
> (Pierre Teilhard de Chardin, *Le milieu divin*,
> Seuil, 1957, p. 95-96)

## La mémoire dans tous ses états

On peut définir la vieillesse comme ce moment significatif de la vie qui est caractérisé par une plus grande vulnérabilité, une conscience de la mort, une diminution des forces physiques et sexuelles, surtout à partir de soixante-quinze ans. Certains signes ne mentent pas : essoufflement, lenteur, lourdeur, raideur, flétrissement, fatigue, perte de la mémoire…

En modifiant simplement quelques aspects de notre mode de vie, on peut ralentir le processus de vieillissement : avoir un régime alimentaire équilibré et faible en matières grasses, éviter de fumer et de consommer trop d'alcool, faire de l'exercice physique, prendre le temps de dormir, stimuler le cerveau, réduire le stress au moyen d'une activité spirituelle comme la prière.

Par exemple, grâce à l'exercice physique, que ce soit marcher ou nager, faire du vélo ou du jogging, nous réduisons le risque de maladie cardiaque et d'accident vasculaire cérébral en modifiant les taux de cholestérol sanguin et en développant une circulation coronarienne collatérale. On augmente aussi les taux de neurotransmetteurs essentiels, présents dans le cerveau. L'activité physique élève souvent les taux de sérotonine, réduit la dépression, équilibre notre stress.

Consolons-nous, le cerveau, ce merveilleux instrument qui n'a pas encore livré toutes ses notes grises, résiste beaucoup plus au vieillissement que notre corps. Des travaux récents sur le cortex cérébral montrent que notre cerveau ne s'use que si nous ne le stimulons pas assez. La stimulation cognitive et les jeux de mémoire évitent la dégradation mentale. Pensons aux mots croisés, sudoku, scrabble, jeu d'échecs, à l'apprentissage d'une langue étrangère, aux cours universitaires, à la lecture… Que de personnes âgées, célèbres ou non, ont gardé toute leur tête jusqu'à la fin de leur vie parce qu'elles ont maintenu une activité intellectuelle et qu'elles ont choisi de faire des choses qu'elles aimaient.

Selon la recherche du neurologue David Snowdon de l'Université du Kentucky, débutée en 1986 et menée sur 678 religieuses catholiques américaines âgées de quatre-vingt-cinq ans en moyenne, les personnes positives et les grandes lectrices ont un risque moindre de développer la maladie d'Alzheimer, contrairement aux personnes dépressives ou qui ont été victimes d'accidents cardiaques[2].

Le cerveau vieillit bien, ce qui ne veut pas dire que nous n'avons pas à l'occasion de trous de mémoire. La mémoire commence à se détériorer dès la vingtaine. Même s'il est plus humiliant d'oublier ses clefs dans la voiture à soixante-dix ans, ça arrive aussi à vingt ans. Il y a d'ailleurs plusieurs formes de mémoire : sémantique pour la connaissance, procédurale pour les gestes, épisodique pour les souvenirs, à court terme, par exemple pour réutiliser un numéro de téléphone lu dans l'annuaire. Cette mémoire à court terme subit plus l'effet du vieillissement que celles à long terme.

On peut oublier des événements récents, ce que l'on a mangé au repas précédent, mais on se rappelle très bien les événements anciens, comme cette enseignante de la petite école, par exemple.

---

2· Cette étude sur les effets physiques et mentaux du vieillissement se poursuit aujourd'hui. Voir le site Internet : www.nunstudy.org

On n'oublie pas comment conduire sa voiture, mais on ne se rappelle plus le nom de la personne rencontrée. Ce n'est pas parce qu'on perd la mémoire, mais avec l'âge survient une baisse de certaines fonctions mnémotechniques. Nos circuits ralentissent et la vitesse d'exécution aussi. Certains médicaments, surtout les antidépresseurs, altèrent également nos capacités cognitives.

Plus la personne vieillit, plus elle va se rappeler certains souvenirs qui viennent des saisons de son enfance. Elle revient au pays de son cœur. Elle ne retourne pas en enfance, comme si elle revenait en arrière. Elle rejoint seulement l'enfant qui vit au plus profond de son être fragile et qui l'invite à la réconciliation. Le cœur se liquéfie et se donne à boire aux quêteurs de source. « En étant proche de son enfance, on retrouve son véritable chez-soi », note l'écrivain Henri Troyat.

> En prenant de l'âge, on s'aperçoit que tout vous a été donné dans vos jeunes années. Que des événements infimes, ou qui vous ont paru tels sur le moment, vous ont marqué pour la vie. Et que, au fond, ce qu'il y a d'essentiel en vous, c'est l'enfant. Vous avez beau avoir des cheveux blancs, des rides, être hors d'haleine en montant un escalier, c'est l'enfant qui persiste en vous, et probablement jusqu'au dernier souffle.
>
> (Florence Noiville, « Troyat ou l'enfance retrouvée »,
> *Le Monde*, 29 mars 1991, p. 19)

# Un art de vivre

Le sexagénaire qui voit venir la vieillesse ne confond pas plénitude de vie avec jeunesse. Il ne s'accroche pas aux printemps d'hier, qu'il ne jalouse pas, mais sait voir dans le renoncement de son âge une récolte digne d'un bon automne. Il est cet éclaireur qui part loin devant pour mieux guider la cordée d'enfants. Certes des choses aussi simples que faire les courses, cuisiner, se divertir, se déplacer à pied ou en voiture, se complexifient en vieillissant, surtout si l'on vit seul.

Si l'aîné capitule devant le fait de vieillir, s'il se résigne à ce qu'il a été et se cramponne à ce qu'il lui reste à vivre, il risque de sombrer dans une léthargie sénile et ses avatars : argent, alcool, casino, Viagra… Il devient cet être entêté et jaloux qui pleure pour un rien, qui veut toujours avoir raison et qui tyrannise son entourage. Il fuit dans le divertissement pour ne pas se voir vieillir. Il joue les dernières partitions de sa vie triste sur des fausses notes qui ne leurrent pas les générations futures, au lieu de s'ouvrir à la gratitude de ce qui fut et de ce qui vient.

> Apprendre jour après jour, à ne pas déplorer ce qui passe, mais à rendre grâce pour ce qui fut et s'ouvrir à ce qui est, à ce qui vient, à la vie victorieuse sous une autre forme, à la petite sœur Espérance ; sa lampe toujours allumée au nœud des ténèbres et des doutes.
>
> (Colette Nys-Mazure, *L'âge de vivre*, Desclée de Brouwer, 2007, p. 259)

La vieillesse, si elle est bien accueillie, est le temps de la grande disponibilité. Le rythme diminue, les besoins aussi. Si la courbe de l'élan vital du corps décroît, l'élan spirituel de l'âme grandit avec l'âge. On fabrique de l'humanité plus naturellement, seul ou avec les autres. On peut retrouver le vrai sens des choses, la beauté de la vie, malgré la douleur à contrôler. Le corps, moins rapide, fait apprécier la lenteur du temps. Le ralentissement des activités peut favoriser une plus grande disponibilité à l'intériorité et à l'action de grâce.

Après avoir accepté bien des détachements, arrive l'ultime renoncement, la mort. On l'accepte comme un enracinement normal après une vie de semence. Une spiritualité du vieillissement, ou cet art de vivre dépouillé, engendre un autre type de croissance et de fécondité, de maturité et de beauté ; c'est la voie de la vie intérieure, comme en témoigne cette vieille dame :

> J'ai dû quitter ma grande maison pour vivre dans un appartement plus modeste. Mon environnement s'est rétréci de bien des façons, mais mon intériorité ne cesse de s'élargir, de s'approfondir. J'ai moins d'espace, mais plus de temps pour m'enrichir du dedans, m'ouvrir au monde, accueillir les autres, fréquenter

mon Dieu et le vaste horizon qu'il offre à mon âme. Me voilà plus rêveuse et poète, ce que je n'ai pu me permettre auparavant. Le dépouillement dont parle l'Évangile prend tout à coup un autre sens... un sens d'enrichissement inattendu. Je sais mieux apprécier les choses, les biens, les joies qui demeurent, comme disait le beau psaume de la messe de ce matin. Les richesses spirituelles n'ont pas de limites. Je sais, je sais... je vis à contre-courant de mon époque. Mais j'ai comme le pressentiment que mes petits-enfants vont découvrir cela un jour. Je les sens si près de moi. Ils m'écoutent et m'en redemandent.

(Cité dans Jacques Grand'Maison, *Réenchanter la vie*,
Montréal, Fides, 2004, p. 229)

 ## Pour les croyants

La vieillesse est le temps des récoltes et des fidélités. L'eau a coulé sous les ponts, on revient à ceux que nous aimons : conjoint, enfants, amis. Nous n'avons plus à nous tailler une place au soleil, l'heure est venue de se consacrer à l'essentiel, de vivre une grande retraite en Dieu. Il n'est pas question de se replier sur soi-même, mais de s'ouvrir aux autres et de les porter dans notre prière de pauvre.

Notre prière elle-même vieillit : somnolence, difficulté à se concentrer... Mais l'Esprit, lui, ne vieillit pas et continue à prier en nous avec des gémissements ineffables. Acceptons de recevoir de lui une prière simple, réduite à quelques mots qui ne peuvent que rappeler l'essentiel, comme ces personnes âgées qui racontent toujours les mêmes histoires, mais qui, à travers elles, disent quelque chose d'elles-mêmes.

(Michel Rondet, *Écouter les mots de Dieu*,
Bayard, 2001, p. 230)

## Poème

Je m'habitue doucement
Ne vous en faites pas trop
Je m'habitue je m'habitue
J'ai à peine une larme à l'œil
À peine un léger battement
de cœur
Je m'habitue aux cheveux
qui tombent
À mes yeux qui baissent
Je m'habitue doucement
À la lumière moins forte
Je marche plus lentement
Beaucoup plus doucement
Ne vous en faites pas trop
Mon cœur bat plus fort plus vite
Mais je m'habitue doucement
Je laisse tomber lentement

Les masques qui me cachaient
Je me dénude lentement
J'ai à peine une larme à l'œil
À peine un léger sanglot
Mon cœur de pierre s'adoucit
Mon cœur de chair est là
Sous ma carapace
Doucement je le montre
Lentement les décors tombent
Et me voici fragile
Debout devant vous
La tendresse s'écoulant
De la plaie
De mon cœur d'enfant.

André Daigneault,
*Le long chemin vers la sérénité*,
Le Renouveau, 1998, p. 168.

# 6
# La sécheresse spirituelle

> Une fois sorti de l'enfance, il faut très longtemps souffrir pour y rentrer, comme tout au bout de la nuit on retrouve une nouvelle aurore.

Georges Bernanos, Dialogues des Carmélites

N ous avons vu que la soixantaine est une étape inestimable de la vie où l'on prend sa retraite et où l'on peut éventuellement devenir grands-parents. Les retraités restent actifs et productifs dans la société. Par contre, ils peuvent ressentir une grande solitude et un manque d'amour qui se manifestent par une sécheresse spirituelle. S'ils sont croyants, cette sécheresse devient d'autant plus pénible que Dieu, l'objet de leur désir, semble absent.

Loin d'être un long fleuve tranquille, la vie humaine est souvent un chemin rocailleux qui est jalonné de croix : maladie, échec, peur, découragement, doute, isolement, remords, perte, mort… Certes, les parcours de vie varient selon les sexagénaires et leurs histoires, mais la souffrance, qu'elle soit physique, psychologique, morale ou spirituelle, nous rattrape un jour ou l'autre au carrefour de nos routes, car nous sommes des êtres de désir et « la vie est si fragile ».

> On est seulement ce que l'on peut
> On est rarement ce que l'on croit
> Et sitôt on se pense un Dieu
> Sitôt on reçoit une croix
> Et la vie est si fragile…

(Si fragile, Luc de Larochellière,<br>auteur-compositeur-interprète d'origine québécoise)

La sécheresse spirituelle peut être liée aux cycles hormonaux et à des problèmes de santé, des passages à vide liés à des événements douloureux, comme des deuils qui nous plongent dans une grande pauvreté intérieure. Cette période de croissance est une opportunité de changement. Il me semble important que la personne trouve un mode d'expression qui lui permette de dire ce qu'elle vit. Elle peut ainsi exorciser son mal de vivre et voir un peu la lumière au bout du tunnel. Cela peut prendre plusieurs formes : confidences à un ami, lettres, journal intime, prières, poésie, peinture, danse, théâtre, musique, artisanat…

## Quand Dieu semble absent

Dans la sécheresse spirituelle, Dieu semble absent, indifférent, caché dans un long et lourd silence. Ce sentiment d'être abandonné par Dieu est ressenti comme un vide intérieur, une solitude aride, une impuissance angoissante, un manque existentiel. Les désirs sont contradictoires, le ciel n'a plus de sens, la fatigue s'installe, on se sent étranger sur la terre, l'âme devient mélancolique, le corps semble éteint comme une petite lampe de terre cuite à la mèche racornie. Ce passage à vide arrive normalement plus tard dans la vie spirituelle, soit autour de la quarantaine et de la soixantaine.

Le psalmiste s'est souvent confronté à cette défection de Dieu qui éprouve son espérance :

> Combien de temps, Seigneur vas-tu m'oublier?
> Combien de temps, me cacher ton visage?

> (Psaume 12 [13], 2)

> Et ce cri du serviteur souffrant repris par Jésus à Gethsémani, dans la grande solitude du vertige des ténèbres : « Mon Dieu, mon Dieu,/pourquoi m'as-tu abandonné? »

> (Psaume 21 [22], 2)

Didier Rimaud se fait l'écho de cette souffrance dans l'une de ses hymnes :

> Vers mon Dieu s'en va ma plainte :
> Peux-tu donc m'abandonner ?
> Qu'ils relâchent leur étreinte
> Ceux qui veulent me livrer !
> J'ai des larmes plein les yeux
> Quand on dit « Où est ton Dieu ? »
> Mais qu'importent mes souffrances ?
> Toi, tu es mon espérance.

(Cité dans *Missel noté de l'assemblée*, 1990, p. 247)

Les mystiques emploient différentes images pour illustrer cette sécheresse de l'âme qui ressemble plus à une désolation spirituelle qu'à une dépression psychique, bien que celle-ci ne soit pas exclue. Jean de la Croix parle de désert et de nuit, Thérèse de Lisieux de brouillard et de tunnel, Mère Teresa de vide et d'obscurité, comme le révèle une partie de sa correspondance et de ses écrits intimes : « Où est ma foi, tout au fond de moi, où il n'y a rien d'autre que le vide et l'obscurité, mon Dieu, que cette souffrance inconnue est douloureuse, je n'ai pas la foi[1]. »

## Mère Teresa

Morte à Calcutta, le 5 septembre 1997, à l'âge de quatre-vingt-sept ans, Mère Teresa a voulu donner de la joie au Christ et aux gens qui l'entouraient en acceptant et en aimant ces étranges ténèbres en elle qui la faisaient beaucoup souffrir. Elle savait que Dieu se servait de sa petitesse pour montrer sa grandeur. L'année de ses cinquante-cinq ans, elle écrivit une lettre au père Neuner où elle confia « comme il est terrible d'être sans Dieu ». Le style de sa correspondance se signale par un grand nombre de majuscules et l'abondance des tirets, trahissant chez elle l'urgence d'aller à l'essentiel.

1· Pour une partie de la correspondance de Mère Teresa qui relate sa nuit de la foi, voir *Viens, sois ma lumière*, Lethielleux, 2008.

La solitude est si grande. Je ne trouve personne ni de l'intérieur ni de l'extérieur vers qui me tourner. [Dieu] a pris le soutien non seulement spirituel – mais aussi humain. Je ne peux parler à personne et même si je le fais – rien ne pénètre mon âme. Je désirais ardemment vous parler à Bombay – et pourtant je n'ai même pas essayé de rendre cela possible. Si l'enfer existe – ceci doit en être un. Comme il est terrible d'être sans Dieu – pas de prière – pas de foi – pas d'amour. La seule chose qui demeure encore – est la conviction que l'œuvre est Sienne – que les Sœurs et les Frères sont Siens. Et je m'accroche à cela comme une personne qui n'a rien s'accroche à un fétu de paille – avant de se noyer. Et pourtant, Père – en dépit de tout ceci – je veux Lui être fidèle – me dépenser pour Lui, L'aimer non pour ce qu'Il donne mais pour ce qu'Il prend – être à sa disposition.

(Mère Teresa, *Viens, sois ma Lumière, op. cit.*, p. 286-287)

Ce désert de l'amour et cette nuit de la foi l'ont fait communier à la soif de Jésus sur la croix et à celle de ses contemporains qui cherchent un sens à leur vie. Elle avait écrit, le 6 mars 1962, ce qui pourrait être considéré comme sa lettre de mission :

Si jamais je deviens sainte – je serai certainement une sainte des « ténèbres ». Je serai continuellement absente du Ciel – pour allumer la lumière de ceux qui sont dans les ténèbres sur terre.

(*Ibid.*, p. 266)

Le romancier Georges Bernanos avait écrit que « la foi, c'est 24 heures de doute moins une minute d'espérance ». Mère Teresa aura vécu pendant cinquante ans une nuit de la foi qui se manifesta par le sentiment de la perte de Dieu, l'aridité dans l'oraison, la sécheresse spirituelle. Elle sera ainsi solidaire de son siècle marqué par l'incroyance. La minute d'espérance qui remplissait ses journées aura été d'étancher la soif de Jésus en partageant un peu son agonie et en l'aimant dans les plus pauvres d'entre les pauvres.

# Dix pistes à suivre

La personne qui stagne dans la sécheresse spirituelle se sent déboussolée, car elle a l'impression de perdre le nord, il ne lui reste souvent que cette minute d'espérance et la prière brève, si près des Psaumes :

> Où es-tu, Seigneur? Pourquoi te caches-tu? Comment croire en toi? Ma prière n'est que larmes, cris et soupirs, l'entends-tu? Comment supporter ton silence qui marque mon cœur au fer rouge? Qu'ai-je fait de mal?

Ces questions manifestent une foi vivante, non une indifférence. La souffrance que l'on ressent de l'apparente absence de Dieu mesure beaucoup plus le désir que nous avons de lui que notre incroyance. Mais comment tenir bon dans ce temps d'épreuve et de purification, qui, pour le chrétien, est un passage de la mort à la vie, à la suite du Christ?

Je tenterai de répondre à ces questions en indiquant dix pistes à suivre qui peuvent nous aider à marcher sur les sentiers de la sécheresse spirituelle, tout en reconnaissant que dans ces contrées de l'âme où nous souffrons du manque de Dieu, le silence et la poésie sont plus éloquents que les discours. Nous avons souvent le goût, comme le prophète Élie, de nous arrêter en chemin et de nous défiler :

> Maintenant, Seigneur, c'en est trop! Reprends ma vie : je ne vaux pas mieux que mes pères.

(1 Rois 19, 4)

Pourtant, c'est au sein même de ce drame intérieur que nous rencontrons un Dieu compatissant qui passe «dans le murmure d'une brise légère» (1 Rois 19, 12) et qui nous accompagne dans notre traversée du désert. Je sais bien que tous ne vivent pas cette traversée à la soixantaine, mais il me semble que ces pistes peuvent tout de même les aider.

# Traverser le désert

Le désert dans la Bible n'est pas un lieu où l'on vit en permanence. On le traverse, en passant, comme le peuple hébreu et Jésus, sans s'y installer trop longtemps, même si la quarantaine paraît longue. Nous sommes ici-bas « des étrangers et des voyageurs [...] à la recherche d'une patrie » (Hébreux 11, 13-14). Le désert nous révèle que notre voyage est intérieur et qu'il sera aride. Il nous mène de la tête au cœur, des prières à la prière, même si on ne sait pas trop comment on va y arriver, surtout lorsque l'opacité semble tout recouvrir, et que l'on perd pied comme un enfant. Que l'on avance ou recule, nous ne pouvons tomber que dans les bras du Père qui chérit l'enfant prodigue. C'est une expérience à vivre qui ne s'apprend pas dans les livres.

Le désert révèle nos pauvretés et nos manques de foi. Il est le lieu de la tentation et de l'épreuve, du jeûne et de la sécheresse. Mais il est aussi le lieu où Dieu donne la manne et où il se révèle, malgré nos infidélités :

> Mon épouse infidèle, je vais la séduire, je vais l'entraîner jusqu'au désert, et je lui parlerai cœur à cœur.

(Osée 2, 16)

Le désert ne livre son secret que lorsque la chair qui le souffre est devenue brûlure, cri, prière ; une prière de recueillement qui laisse plus la place au silence qu'aux formules, une prière de vie qui est un chemin à parcourir plus qu'un rite à accomplir.

À quoi bon sortir du désert d'Égypte si nous refusons celui que Dieu veut établir en notre âme quand il vient investir notre prière de son souffle ardent. Ce désert, c'est Dieu lui-même, écrit Jean de la Croix, présent au cœur d'un silence illimité. Ce désert divin nous échappe sans cesse, nous ne pouvons que le désirer, l'effleurer. Alors commence la vraie prière, celle que nous n'avons pas apprise, et qui fait que nous ne savons pas que nous prions lorsque nous prions. La meilleure méthode ici est de ne pas en avoir. Le plus grand effort est de ne pas en faire. Ne possédant rien, nous possédons tout.

# Communier à la souffrance du monde

Le désert n'est plus ce qu'il était. Madeleine Delbrêl[2] a montré qu'il se trouve au cœur des cités. Nous traversons ce désert avec les gens ordinaires de notre rue et de notre monde qui vivent comme si Dieu n'existait pas. Nous déplorons avec François d'Assise que « l'Amour n'est pas aimé ».

Nous avons à vivre de Dieu, dans un monde sans Dieu, disait le pasteur et théologien Dietrich Bonhoeffer, pendu le 9 avril 1945 au camp de concentration de Flossenbürg :

> Dieu se laisse déloger du monde et clouer sur la Croix. Dieu est impuissant et faible dans le monde, et ainsi seulement il est avec nous et nous aide.
>
> (Dietrich Bonhoeffer, *Résistance et soumission*, Genève, Labor et Fides, 1973, p. 366)

Nous portons ce monde sécularisé dans nos temps de sécheresse et de prière, et nous l'offrons à Dieu qui a tant aimé le monde. Notre manque de Dieu est aussi le leur. Tant de nos contemporains gémissent dans les déserts de la violence et dans les nuits de la douleur. Notre sécheresse devient féconde lorsqu'elle est unie à celle du Christ en croix, pour nos frères et sœurs en quête de sens.

> En effet, nous, les vivants, nous sommes continuellement livrés à la mort à cause de Jésus, afin que la vie de Jésus, elle aussi, soit manifestée dans notre existence mortelle. Ainsi la mort fait son œuvre en nous, et la vie en vous.
>
> (2 Corinthiens 4, 11-12)

C'est dans la nuit de notre sécheresse, où l'on pense que l'on perd Dieu, que nous pouvons mieux le trouver, car on ne le possède

---

2· Madeleine Delbrêl (1904-1964), assistante sociale, poète et mystique, est l'une des grandes figures du catholicisme social du XXe siècle.

plus. Quand on croit le tenir, il se donne en s'effaçant, peut-être pour qu'il écrive du neuf sur les pages de notre vie. Il se révèle secrètement en purifiant nos images et nos pensées. Sa présence est absence, blessure, effacement, faim. Le poète Novalis disait que Dieu nous façonne comme la mer façonne les continents, en se retirant. Mais nous savons que le Christ nous accompagne sur ce chemin de croix. Avec lui, le fardeau devient plus léger, car c'est sa croix qui nous porte.

## Consentir à la nuit

Pour Jean de la Croix, la nuit symbolise le passage de l'âme à l'union avec Dieu qui se vit dans la sécheresse spirituelle. Il donne trois sens au mot « nuit ». D'abord, la personne doit renoncer à trouver Dieu par ses propres sens ; ce renoncement du sensible est une privation. Ensuite, le moyen pour aller à Dieu est la foi ; or la foi est obscure pour notre intelligence. Enfin, Dieu étant le terme vers lequel l'âme se dirige, il est insaisissable ; nous ne pouvons le connaître que de nuit, par la foi et l'amour. Ce Dieu, que « nul n'a jamais vu » (Jean 1, 18), est « un Dieu caché » (Isaïe 45, 15). Il est toujours au-delà de nos considérations, images, représentations, croyances.

Le mystique espagnol distingue deux grandes formes de nuit mystique. La « nuit des sens » est une perte de goût dans la relation à Dieu, même si le désir de Dieu perdure. La « nuit de l'esprit » est beaucoup plus douloureuse, car la vie perd son sens et l'éternité devient une cause de tourment. C'est ce que Mère Teresa a vécu. Pour Thérèse de Lisieux, c'est « la nuit du néant ». C'est l'intention du cœur qui compte, pas nos impressions.

Cette épreuve de la sécheresse éprouve notre foi et déstabilise notre être. L'existence devient pesante, les choses de Dieu nous rebutent, la prière nous ennuie, la messe est une corvée. Bienheureuse nuit, chante Jean de la Croix, qui protège de la vanité et de la gloriole, où nul ne nous voit lorsque l'on prend l'échelle secrète de la foi pour aller vers ce que notre cœur brûle d'obtenir, la transformation en la beauté du Bien-Aimé. La grande tentation ici est de tout lâcher, alors que Dieu nous invite à traverser la nuit dans le dénuement de la foi, en ne comptant que sur lui. C'est lorsqu'il n'y a plus d'appui qu'en Dieu que la foi éclaire l'intelligence, qu'il n'y a plus rien à espérer que l'espérance purifie la mémoire, que nous ne ressentons plus la présence de Dieu que son amour transforme la volonté.

Les sécheresses qui proviennent de cette nuit des sens ou de l'esprit viennent de Dieu. Elles ne naissent pas de la tiédeur ni de la lâcheté, note Jean de la Croix, car on souffre de ne pas aimer Dieu comme il devrait l'être. La nuit mystique chrétienne n'est au fond qu'une nuit d'amour vécue en compagnie du Christ mort et ressuscité, présent dans l'absence. Cette nuit nous consume du désir de la présence de Dieu, de l'envie de le connaître pour lui ressembler davantage, nous qui ne sommes pas seulement faits de poussière, mais créés à son image et à sa ressemblance. L'oraison devient alors un simple regard d'amour où Dieu regarde l'âme qui se sait vue par Lui, même si elle ne sent rien. Cette contemplation ne se vit pas dans les consolations ni les lumières mais dans les sécheresses et les nuits de la foi. Mais à la fine pointe de l'âme, il y a toujours la paix du Christ que le monde ne peut pas donner. Consentir à la nuit, c'est consentir à cette paix profonde qui dépasse toute connaissance.

## Patienter dans l'oraison

L'oraison est le lieu par excellence de la sécheresse. Cette forme de prière est un cœur à cœur fréquent avec Dieu dont on se sait aimé, même si on ne le sent pas. On reste présent à la Présence, dans le silence et la solitude amoureuse avec Dieu. Parfois, nous passons de la méditation à la contemplation, c'est-à-dire de la réflexion à l'attention amoureuse à Dieu, car il n'y a plus goût à méditer et à discourir. Nous communions avec Dieu, dans une paix subtile et délicate, le regardant en silence, sans rien comprendre. Jean de la Croix donne trois signes pour savoir qu'il est temps d'abandonner la voie de la méditation dans l'oraison pour celle de la contemplation.

Premier signe : la personne ne trouve plus de goût et de consolation à méditer et à discourir avec l'imagination et la mémoire. Deuxième signe : il n'y a aucun désir de centrer son attention sur des représentations ou objets extérieurs, compte tenu de la sécheresse et du manque de saveur que la personne ressent en priant. Troisième signe, le plus certain selon le carme : la personne ressent une grande sécheresse, mais elle est en même temps attirée pour demeurer en solitude amoureuse avec Dieu, dans une paix subtile et délicate, le regardant en silence, sans rien comprendre.

Pour le carme espagnol, «la contemplation n'est autre chose qu'une infusion secrète, pacifique et amoureuse de Dieu en l'âme ; et cette infusion, lorsqu'elle ne rencontre pas d'obstacle, embrase l'âme de l'esprit d'amour» (*La nuit obscure* I, 11, 2). Ce qui ne veut pas dire qu'il n'y a plus de sécheresse, d'impuissance et d'obscurité, d'où l'intérêt de faire sans effort des actes de foi, d'espérance et d'amour au plus profond de l'âme, comme autant de flèches lancées vers «le nuage d'inconnaissance» qui nous sépare de Dieu.

De courtes prières vocales, comme le Notre-Père, les Psaumes, des prières à Marie, peuvent aider à tenir bon dans la nudité de la contemplation, pourvu qu'on les récite avec le cœur et non du bout des lèvres, afin d'en retirer la sève qui facilite le recueillement.

La petite Thérèse, qui dormait souvent dans ses oraisons de sécheresse, nous livre ici son expérience :

> Quelquefois lorsque mon esprit est dans une si grande sécheresse qu'il m'est impossible d'en tirer une pensée pour m'unir au Bon Dieu, je récite très lentement un Notre-Père et puis la salutation angélique (le Je vous salue Marie) ; alors ces prières me ravissent, elles nourrissent mon âme bien plus que si je les avais récitées précipitamment une centaine de fois.
>
> (Thérèse de Lisieux, *Histoire d'une âme*, Presses de la Renaissance, 2005, p. 314)

# Laisser faire Dieu

La sécheresse contemplative est un bien pour l'âme, malgré la fatigue, le sentiment d'impuissance et la tentation de tout abandonner. C'est un chemin d'abandon qui mène à Dieu en détachant le fidèle des biens sensibles et spirituels. Nous laissons Dieu nous aimer. Pour persévérer dans cet état de confiance en l'amour de Dieu, il faut du discernement, de la patience et de l'humilité. Thérèse d'Avila suggère les mêmes remèdes lorsqu'elle parle de la sécheresse dans la prière de recueillement qui vient surtout de la distraction. Pour elle, la distraction est une souffrance et la sécheresse un état de désolation qui s'accompagne de tristesse, d'impuissance et d'agitation. L'important ici n'est pas de faire beaucoup, mais de se laisser faire par ce Dieu qui est présent au fond de l'âme. Les distractions nous rappellent que nous ne savons prier comme il faut et que nous avons besoin de l'Esprit pour qu'il vienne en aide à notre faiblesse.

L'expérience de l'aridité et de la sécheresse peut s'apparenter à une sorte de dépression. Cette épreuve laisse l'âme sans force. D'active, elle devient passive. Elle pâtit en silence, ne sachant trop ce qui lui arrive, mais c'est Dieu qui agit pour son bien. Elle désire tout de même faire la volonté de Dieu et rester fidèle à la prière et aux sacrements, surtout celui de l'Eucharistie.

Dieu a l'initiative, nous n'avons qu'à être disponibles à son action, l'attendre comme un veilleur guette l'aurore. Il se tient près de nous autant dans la sécheresse que dans l'abondance. Il se révèle à chacun quand il veut et de la manière qu'il le veut, selon les caractères et les personnalités. Nous n'avons qu'à le laisser faire et nous laisser aimer en tenant ferme dans la présence de son absence. Quel défi pour les «adultes» que nous sommes, qui aiment accomplir des choses «importantes» et avoir le contrôle de notre vie! La voie par excellence demeure l'abandon en la miséricorde divine; cela demande une grande souplesse intérieure et une écoute renouvelée de la parole de Dieu.

> Si quelqu'un m'aime, il restera fidèle à ma parole; mon Père l'aimera, nous viendrons chez lui, nous irons demeurer auprès de lui.
>
> (Jean 14, 23)

# Écouter la Parole

À l'angélus du 18 juillet 2004, Jean-Paul II faisait cette confidence : « Écouter la Parole de Dieu est la chose la plus importante de notre vie. » Lorsque nous traversons les épreuves de la vie avec un cœur désertique, que la prière ne nous dit plus rien, que l'on s'ennuie devant Dieu, souvenons-nous toujours que l'Esprit de Dieu souffle dans les Écritures. La moindre des choses à faire est de l'écouter. N'est-ce pas la meilleure part dont parlait Jésus! Dieu appelle par sa parole, nous ne pouvons que lui répondre par notre foi chancelante, et mettre en pratique ce que nous entendons, à la suite des disciples d'Emmaüs[3].

Dieu agit par sa parole : il dit et cela est.

> Elle est tout près de toi, cette Parole, elle est dans ta bouche et dans ton cœur afin que tu la mettes en pratique.
>
> (Deutéronome 30, 14)

Qui est cette Parole, si intime à nos corps, si ce n'est le Verbe fait chair, « le commencement, le premier-né d'entre les morts » (Colossiens 1, 18) ? Il se lève dans nos vies comme un supplément d'aube pour dissiper les ténèbres de nos nuits spirituelles.

La Parole trace une route dans le désert du monde, irrigue les lieux arides de nos cœurs pour nous faire entendre un grand secret : Dieu est amoureux de chacun de nous. S'il semble se cacher à nos sens, c'est pour creuser en nous le désir de sa parole.

> Voici venir des jours, déclare le Seigneur Dieu, où j'enverrai la famine sur la terre ; ce ne sera pas une faim de pain ni une soif d'eau, mais la faim et la soif d'entendre les paroles du Seigneur.
>
> (Amos 8, 11)

---

3· Pour une méditation priée de la Parole de Dieu, voir nos commentaires des textes du dimanche, *Notre cœur n'était-il pas brûlant?*, Parole et Silence/Bellarmin, 2007.

Notre cœur expérimente cette famine d'amour et nous comprenons que «ce n'est pas seulement de pain que l'homme doit vivre, mais de toute parole qui sort de la bouche de Dieu» (Matthieu 4, 4).

Cette famine d'amour se vit aussi dans le couple. Par exemple, même si Julie ne sent pas l'amour de son mari, cela ne veut pas dire qu'elle ne l'aime pas. Comme la foi, le sentiment n'est pas tout, il y a aussi la volonté d'aimer. La sécheresse que produit le fait de ne rien percevoir dure un temps, normalement l'intimité et la complicité reviennent peu à peu. L'âge, la fatigue, l'ennui, la routine sont peut-être en cause, mais que serait l'amour s'il n'était pas éprouvé de temps en temps. Continuer à aimer malgré tout, voilà l'ordinaire de nos vies, et c'est cela qui est extraordinaire.

Lorsqu'on ne perçoit plus que désolation en soi et autour de soi, il suffit de méditer un simple verset d'un psaume pour qu'il devienne notre bouée de sauvetage pour la journée :

En toi est la source de vie ;
par ta lumière nous voyons la lumière.

(Psaume 35 [36], 10)

En lisant les Psaumes, par exemple dans la liturgie des Heures ou dans *Prière du temps présent*, nous ne pouvons qu'adorer Dieu sans comprendre son silence. Pourtant, nous pressentons que Dieu se tait par amour et respect devant notre liberté. «Seigneur, ne nous laisse jamais oublier que tu parles aussi quand tu te tais», disait Kierkegaard.

# Répéter le nom de Jésus

La puissance du nom de Jésus est une aide précieuse pour traverser l'épreuve de la sécheresse spirituelle. Ce nom calme l'esprit, conduit au silence, ouvre au mystère de la présence divine. Cela aide à nous concentrer, à nous recueillir, à avoir un contact direct avec Celui qui est tout pour nous. Ce peut être aussi une évocation, «Viens, Seigneur Jésus», ou une petite phrase, comme celle que l'on retrouve dans l'Évangile et le livre *Récits d'un pèlerin russe* : « Seigneur Jésus, Fils du Dieu vivant, aie pitié de moi pécheur. »

Le nom de Jésus est nourriture et protection. Il sauve, guérit, libère. Que de fois j'en fais l'expérience. Je ferme les yeux et je plonge dans mon cœur, alors le nom béni émerge spontanément : Jésus, Jésus, Jésus… Je suis là, attentif à ce nom que je répète sans effort, parfois au rythme de la respiration. Je le prononce avec foi dans le secret de l'âme et j'y trouve consolation et douceur, malgré les distractions et les sécheresses. Plus je le répète, plus je sombre en Dieu, océan d'amour où je me perds, même si sa lumière se noie dans l'ombre. Parfois, je m'endors en le murmurant intérieurement, mais rarement en me réveillant. Ce « nom au-dessus de tout nom » (Philippiens 2, 9) me saisit plus que je ne le saisis. J'espère qu'il sera mon dernier mot au jour de mon entrée dans la vie.

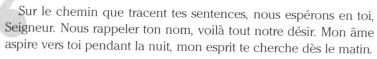

Sur le chemin que tracent tes sentences, nous espérons en toi, Seigneur. Nous rappeler ton nom, voilà tout notre désir. Mon âme aspire vers toi pendant la nuit, mon esprit te cherche dès le matin.

(Isaïe 26, 8-9)

# Tenir son esprit en enfer sans désespérer

Le chrétien qui cherche Dieu dans la foi reçoit au début des grâces de consolations. Mais un jour le Seigneur le visite en lui enlevant ces consolations pour mieux le purifier. Il se sent comme en enfer.

## Le starets Silouane

C'est ce qui arriva au starets Silouane, moine russe du mont Athos (1886-1938), l'un des plus grands saints orthodoxes du XXe siècle. Après des grâces exceptionnelles, il s'est senti abandonné de Dieu, comme Adam chassé du Paradis, l'âme envahie de ténèbres. La sécheresse l'a aidé à lutter contre l'origine de tous les maux : l'orgueil. Il s'accrocha à la foi en l'amour de Dieu, même s'il n'en ressentait pas les délices. C'est lorsqu'il demanda au Seigneur ce qu'il devait faire pour que son âme devienne humble qu'il entendit cette parole du Christ : «Tiens ton esprit en enfer et ne désespère pas.» Avec le glaive de cette parole de salut, il trouva le repos et la paix.

Cette parole peut aussi nous consoler, car même si notre vie ressemble parfois à un champ de bataille, que l'on soit à la retraite ou non, il ne faut jamais désespérer de la miséricorde du Seigneur. Le temps de Dieu n'est pas le nôtre; ses voies ne sont pas nos voies. Il nous plonge dans le vide et la sécheresse pour nous montrer ce qui est faux et ombrageux : l'égoïsme, l'orgueil, l'agressivité, la dépendance, la jalousie. Il s'ensuit une prise de conscience de notre finitude et une grande douleur de se savoir indigne d'un tel amour. La personne vit comme en enfer, «enfermée», découvrant des sentiments qu'elle ne veut pas voir ou admettre. Pourtant Dieu l'éclaire en l'aimant ainsi.

La signification du mot «enfer» désigne surtout cet état spirituel où l'on est coupé de Dieu à cause de nos péchés. Mais c'est justement notre misère qui attire la miséricorde divine. La sécheresse spirituelle ressemble à cet enfer où le feu de la grâce purifie notre âme de l'orgueil et de l'égoïsme. Elle est cette croix salutaire qui nous conduit au matin de Pâques et au Royaume de la vie éternelle. Silouane nous dit que nous y arrivons par le repentir, les larmes, l'humilité, la compassion, l'espérance.

# Rester tranquille et vigilant

## Sainte Marguerite-Marie Alacoque (1647-1690)

Lorsque Marguerite-Marie Alacoque entra à la Visitation Sainte-Marie de Paray-le-Monial, son premier souci fut de demander à sa maîtresse des novices de lui apprendre à faire oraison. La mère lui répondit : «Allez vous mettre devant Notre Seigneur présent dans le tabernacle, et dites-Lui que vous voulez être devant Lui comme une toile d'attente devant un peintre.» En d'autres mots, restez tranquille, en sachant qu'il se passe toujours quelque chose dans la prière, même si on ne ressent rien, car il ne faut pas confondre sentiment de la foi et la foi elle-même.

Toute vie spirituelle est un combat. Nous avons à vaincre la lourdeur, la paresse, l'ennui, le mal. Nous avons à lutter contre cette vague impression que nous perdons notre temps dans l'oraison, que nous ne savons pas quoi dire et quoi faire lorsque les distractions nous talonnent. Nous avons à combattre cette tentation qu'il ne se passe rien lorsque nous prions, que Dieu n'entend pas nos prières, qu'il ne nous exauce pas[4]. Prier, c'est aussi s'asseoir dans l'absence d'une présence et accepter de s'ennuyer, en sachant que Dieu s'émerveille de nous voir ainsi.

Le mystique allemand Tauler a décrit l'épreuve de la sécheresse spirituelle comme une chance de grandir et de renaître spirituellement. Rien ne sert de se fuir soi-même, de s'agripper à de fausses sécurités, de s'agiter en tous sens. Le mot d'ordre est celui-ci : rester tranquille et vigilant. Pour Tauler, cela veut dire être présent à soi pour l'être en Dieu.

> Reste présent à toi-même et ne prends pas la fuite, souffre jusqu'au bout et ne cherche pas autre chose! Non pas comme ces personnes qui cherchent toujours la nouveauté pour échapper à la tourmente dès qu'elles sont dans cette pauvreté intérieure. Ou encore elles s'en vont gémir et interroger des maîtres, ce qui les égare encore davantage. Reste dans ton état sans hésitation ; après les ténèbres viendra la clarté du jour, le soleil dans tout son éclat […]
>
> Fais-moi confiance, aucune tourmente ne s'élève dans l'homme sans que Dieu ait, en fait, l'intention de procéder à une nouvelle naissance en lui. Et sache-le : tout ce qui t'enlève la tourmente ou la pression, tout ce qui l'apaise ou la soulage, tout cela se fait engendrement en toi. Et puis se produit la naissance quelle qu'elle soit, Dieu ou créature.
>
> (Cité dans Anselm Grün, *La crise du milieu de la vie*, Médiaspaul, 1998, p. 38, 43)

---

4· Pour montrer comment persévérer dans la prière, je passe en revue dix difficultés courantes, dans *Du temps pour prier*, Presses de la Renaissance, en coédition avec Novalis, 2007, p. 29-43.

Naître à soi, c'est naître à Dieu. Le meilleur moyen d'y arriver est de faire les choses comme on les faisait avant l'épreuve de la sécheresse : continuer à aimer et à prier, lire la Bible et servir les autres, se ressourcer dans un monastère et participer à une retraite paroissiale, ne pas délaisser la communauté et rencontrer d'autres croyants… Parfois, l'accompagnement d'un ami ou d'un prêtre peut être un soutien important. Rien de mieux qu'une épaule amie pour garder le feu du cœur. Et il y a aussi les saints, dont les vies et les écrits sont des oasis dans nos déserts sans étoiles.

# Prendre les chemins de la sainteté

Les saints sont des amis qui peuvent nous guider sur les sentiers sinueux de la sécheresse spirituelle. Ils ont vécu des déserts et des nuits qui ressemblent aux nôtres, partagé les mêmes combats et les mêmes espérances que nous. Leurs vies sont de mini-évangiles qui libèrent notre désir d'aimer. Leurs écrits et leur «science d'amour» éclairent notre foi et l'illuminent de l'ardente amitié qu'ils avaient pour le Christ[5].

Dans sa Lettre apostolique *Le nouveau millénaire*, Jean-Paul II évoquait la «théologie vécue des saints» comme aide sérieuse pour contempler le visage du Christ et approfondir le mystère de la foi qui se vit souvent sur la Croix :

Ceux-ci nous offrent des indications précieuses qui permet-tent d'accueillir plus facilement l'intuition de la foi, et cela en fonction des lumières particulières que certains d'entre eux ont reçues de l'Esprit Saint, ou même à travers l'expérience qu'ils ont faite de ces états terribles d'épreuve que la tradition mystique appelle «nuit obscure». Bien souvent, les saints ont vécu quelque

5· Voir *Les saints, ces fous admirables* (Novalis/Béatitudes, 2005), où je présente quarante-cinq grands témoins du christianisme et *Tous appelés à la sainteté* (Novalis/Parole et Silence, 2008), ouvrage dans lequel je montre que la sainteté n'est pas destinée à une élite, mais qu'elle est un devoir de tous.

chose de semblable à l'expérience de Jésus sur la Croix, dans un mélange paradoxal de béatitude et de douleur.

(n° 27)

C'est par l'Esprit Saint seulement que nous pouvons comprendre ce langage de la croix où Dieu se fait faible, désarmé, impuissant, à notre merci. En effet, «l'homme qui n'a que ses forces d'homme ne peut pas saisir ce qui vient de l'Esprit de Dieu; pour lui ce n'est que folie, et il ne peut pas comprendre, car c'est par l'Esprit qu'on en juge» (1 Corinthiens 2, 14). Ne nous étonnons pas que «ce qu'il y a de fou dans le monde, voilà ce que Dieu a choisi pour couvrir de confusion les sages; ce qu'il y a de faible dans le monde, voilà ce que Dieu a choisi pour couvrir de confusion ce qui est fort» (1 Corinthiens 1, 27).

Que nous soyons à la soixantaine ou non, nous sommes tous appelés à la sainteté, c'est-à-dire à l'accueil de l'autre et à l'amour de Dieu. La sécheresse spirituelle est un carburant du désir de Dieu et un chemin de sainteté, car elle nous rend petits, pauvres et humbles devant Dieu. Il nous assèche pour nous remplir de son Esprit Saint, à la mesure de notre ouverture à sa grâce, un pas à la fois.

Sainteté ne veut pas dire ici canonisation, héroïsme, équilibre psychologique, perfection morale, mais découverte d'un vide intérieur, acceptation de l'obscurité de la foi, descente dans l'oraison, accueil des blessures, abandon à la miséricorde divine. C'est ainsi qu'un rien devient saint, et que «les derniers seront les premiers» (Matthieu 19, 30).

## Poème

Je me tiens devant toi,
assis sur un petit banc,
la tête légèrement penchée,
les yeux fermés,
le cœur ouvert,
sans broncher,
dans l'absence aride,
vers le Royaume intérieur.

Je sais que tu m'aimes, Seigneur,
même si je ne sens pas
ta présence.
Je me laisse tomber au creux
de l'être,
comme ton enfant bien-aimé,
dépouillé de moi-même,
pour ne reposer
que dans ton silence.

Le vide s'installe,
je n'attends rien
que ce rien dru,
être là seulement
en toute gratuité,
brûlure du temps,
sel de la terre,

lumière du monde,
malgré les distractions.

Tu me traverses de ton Esprit
comme un vitrail
sur le derme du visible.

Ma peau respire ton nom, Jésus.
Je ne sais que ce nom
lorsque tout se tait
dans l'extrême nudité
de l'heure qui passe,
de cette vie à l'autre,
un seuil invisible,
la communion des saints.

J'ouvre les Écritures
pour relancer le cœur,
mon regard migrateur
se pose sur ta croix,
ce corps de mots d'amour,
la plus belle parole jamais dite.

Jacques Gauthier,
*Prières de toutes les saisons*,
*op. cit.* , p. 151-152.

# 7

# Les âges de la vie

Point de révolte : honorons les âges dans leurs chutes et le temps dans sa voracité.

Victor Segalen, *Stèles*

On naît comme on peut, après chacun fait de son mieux, qu'il soit seul ou en couple. Notre premier devoir ne consiste-t-il pas à ne pas gâcher cette chance que nous avons de vivre ? Au début, quelqu'un nous prend par la main, nous apprend à marcher, nous conduit à l'école. Puis nous faisons rapidement notre chemin comme des enfants, en sautant, en jouant, en courant, comme si on voulait retenir le temps :

> Mais les enfants ce qui les intéresse ce n'est que de faire le chemin.
> D'aller et de venir et de sauter. D'user le chemin avec leurs jambes.
> De n'en avoir jamais assez. Et de sentir pousser leurs jambes.
> Ils boivent le chemin. Ils ont soif du chemin. Ils n'en ont jamais assez.

(Charles Péguy, *Le Porche du mystère de la deuxième vertu*, Gallimard, 1986, p. 133)

Adolescents, nous délaissons le chemin de l'enfance pour risquer d'autres sentiers qui ouvrent sur des horizons nouveaux. Nous arrivons à des carrefours inconnus, nous faisons des choix de vie, nous prenons des chemins de traverse, nous entrons dans l'âge adulte, quelquefois à cloche-pied.

Le temps file selon le tic-tac de l'horloge, nous reprenons notre souffle à chaque décennie. Nous nous arrêtons au mitan de notre vie. Parfois nous manquons d'air, essoufflés par le rythme effréné de nos sociétés régies par la performance et la vitesse. Puis arrive le temps de la retraite. Nous pouvions rester debout très tard, maintenant nous nous couchons plus tôt. Après le printemps et l'été, nous voici rendus à l'automne de la vie. Le grand hiver approche et nous nous surprenons à rêver au jardin de l'enfance.

Voici donc une brève synthèse de ces phases qui constituent l'ensemble de la vie. Au risque d'idéaliser ou de généraliser, je veux surtout montrer dans ce chapitre une intégration réussie des forces psychologiques et spirituelles qui sont inhérentes à chaque période de la vie, surtout celles de l'âge adulte. Je sais que les parcours sont différents pour chacun et que la traversée n'est pas la même pour tous. Il y a des naufrages, bien sûr, mais il existe aussi des îles sur lesquelles se reposer avant de repartir.

# L'enfance et la conscience d'amour

La vie n'est pas morcelée, elle est palpable en chaque étape, au début comme à la fin. Elle donne un visage à chaque décennie qui n'existe qu'en fonction du tout. Ainsi, le jeune homme porte en lui son enfance et son adolescence, le sexagénaire prolonge l'expérience et la réalisation de sa jeunesse, le vieillard récolte les fruits de son passé. Et la mort est présente dès le début, comme on retrouve l'enfance à la fin.

Mais l'enfance n'est pas seulement le point de départ d'une vie, elle en est le germe qui s'épanouit ; elle nous accompagne à tous les âges. Elle est l'expérience marquante de notre vie qui nourrit nos rêves et façonne notre identité. Un état d'enfance se cache en nous, se conjugue au présent pour s'accorder avec le vieillissement et la mort. Gaston Bachelard, phénoménologue de l'imagination poétique et grand ami des poètes, a bien illustré ce noyau d'enfance toujours vivant au fond de l'âme et qui lui donne sa dimension universelle et permanente.

« En nous, un enfant vient parfois veiller dans notre sommeil. Mais, dans la vie éveillée elle-même, quand la rêverie travaille sur notre histoire, l'enfance qui est en nous nous apporte son bienfait. Il faut vivre, il est parfois très bon de vivre avec l'enfant qu'on a été. On en reçoit une conscience de racine. Tout l'arbre de l'être s'en réconforte. Les poètes nous aideront à retrouver en nous cette enfance vivante, cette enfance permanente, durable, immobile.

(Gaston Bachelard, *Poétique de la rêverie*, PUF, 1984, p. 18-19)

L'enfant naît et déjà son souffle veut durer. Il quitte la chaleur du sein maternel pour absorber l'amour qui l'entoure comme une nourriture essentielle à son développement. Il attend tout de maman et de papa pour vivre. Il devra quitter la relation fusionnelle avec sa mère pour affronter le monde. S'il est entouré d'amour, malgré les maladresses et les imperfections des parents, la traversée s'annoncera plus aisée. S'il ne se sent pas aimé, ce sera plus difficile, car nous sommes faits pour aimer et être aimés.

Notre enfance, quoique personnelle, rejoint une enfance plus universelle. Elle a mille saisons et aquarelles de couleurs jamais vues. Temps d'apprentissage à la maison comme à l'école, l'enfance reste en nous le premier départ, le principe de vie par excellence. Elle est fixée dans l'image porteuse du premier mot, du premier regard, du premier souvenir, de « l'éternelle enfance de Dieu », dirait Claudel, celle qui ne vieillit pas, qui s'écrit à l'encre de nos désirs, et qui est à l'origine de notre vocation d'homme et de femme.

· · · · · · · · · · · · · · · · · · · · · · · · · · · · · · · · · · · · ·

### Pour les chrétiens

La Bible nous révèle que « Dieu est amour » (1 Jean 4, 8). Il crée l'être humain à son image et à sa ressemblance, c'est-à-dire par amour et dans l'amour. Le souffle reçu à la naissance est déposé dans une conscience faite pour aimer.

La conscience d'amour du tout-petit se laisse mieux comprendre analogiquement par l'expérience mystique qui est vue, surtout par saint Jean de la Croix, comme un toucher de personne à personne, un contact amoureux, une union à Dieu dans la nuit de la foi. Le dominicain Thomas Philippe, aumônier de l'Arche de Jean Vanier, a montré que le tout-petit possède une conscience d'amour qui l'enracine dans la vie de la grâce divine. Cette conscience d'amour est une source substantielle d'unité qui est présente dans la personne à chaque âge de sa vie.

Le petit enfant qui est aimé devient essentiellement un être de confiance et de foi, capable d'aimer à travers toutes les étapes de sa vie. Même si sa mère est tout pour lui, il s'aperçoit assez vite qu'elle n'est pas Dieu. Si elle prie à ses côtés, l'enfant découvrira une autre présence qui peut être tout aussi comblante.

Il est étonnant de voir comment beaucoup d'enfants de cet âge, s'ils en ont l'occasion, aiment faire silence devant l'éclat d'une bougie, la lumière d'une icône, d'une croix. Ils ont une grande capacité contemplative qui découle de leur pensée intuitive et du sens de l'émerveillement. Si le petit enfant entend ses parents réciter souvent des prières comme le «Notre-Père» et le «Je vous salue Marie», elles s'imprégneront dans son cœur et pourront l'accompagner aux différentes saisons de sa vie[1].

La spiritualité existe déjà chez l'enfant. Certes, elle n'est pas l'expression d'une foi religieuse explicite, mais cette spiritualité émerge du mode d'être même des tout-petits qui est à la fois sensible, relationnel et existentiel. Comment découvrir cette spiritualité qui s'ouvre à la transcendance, voire à la contemplation? En écoutant attentivement les enfants, en partant de leurs paroles et de leurs gestes. C'est ce que fit une observatrice souriante d'une soixantaine d'enfants de trois centres de petite enfance âgés de trois à six ans. Elle a reconnu l'action de l'Esprit agissant au cœur de ces enfants dans leur environnement :

---

1· J'ai traité de cette question de l'éveil religieux de l'enfant dans *Prier en couple et en famille*, Presses de la Renaissance, 2008.

Le pari de cette recherche consiste à croire que le spirituel peut se découvrir dans l'ordinaire du quotidien des petits.

(Élaine Champagne, *Reconnaître la spiritualité des tout-petits*, Montréal et Bruxelles, Novalis et Lumen Vitae, 2005, p. 15)

• • • • • • • • • • • • • • • • • • • • • • • • • • • • • •

# L'adolescence et la quête de sens

Nul ne sait à quel âge ou à quelle saison l'enfant nous quitte. Quel vent emporte nos vêtements trop petits pour nous revêtir le corps d'un feu qui veut tout envahir ? Comment reconnaître cet enfant que nous avons été ? Que répondre à cet appel obscur de la vie qui ébranle tout ? L'adolescence : recherche d'autonomie, besoin d'affirmation de soi, quête d'identité, poussée de l'instinct sexuel, appel de la liberté, sans avoir encore de véritables responsabilités à gérer.

Il va, je ne sais où : c'est lui qui mène,
Et il veut se laisser mener comme un enfant.
Il fraye son chemin vers le cœur du printemps.

(Patrice de La Tour du Pin, *Une somme de poésie* I, *op. cit.*, 1983, p. 84)

L'adolescence suscite un intérêt grandissant depuis quelques décennies. Cette étape émerge véritablement en tant que telle au tournant du XXᵉ siècle avec la société industrielle. Le passage à l'âge adulte est retardé par l'accès aux études et par une entrée plus tardive dans la vie active. Nous assistons, après la Seconde Guerre mondiale, à la naissance d'une catégorie sociale à part. Les jeunes deviennent de plus en plus nombreux – en raison du baby-boom – et plus importants par leur pouvoir d'achat. Les adolescents sont une cible de choix pour le système capitaliste et la société devient de plus en plus « adolescentrique » : le plaisir à tout prix, le paraître au détriment de l'être, le sexe sans entraves, le culte du corps. Un slogan de Mai 68 résume bien l'ambiance : « Il est interdit d'interdire. »

L'adolescence se distingue par la puberté. Le jeune devient homme ou femme et les modifications hormonales et physiques qui en découlent peuvent entraîner une phase de malaises identitaires. La sexualité prend beaucoup de place et l'adolescent commence à se définir par ses propres valeurs, ses désirs, ses rêves, sa manière de voir la vie. Il apprend, il explore. Contrairement au calme assez relatif de l'enfance, il vit une certaine insécurité qui le remet en question. Il se définit dans un groupe, en se confrontant à son milieu. Il prend une distance par rapport à ses parents pour se structurer lui-même. Il recherche des modèles qui sont créateurs, aventuriers, libres. Même s'il ressent le besoin de s'isoler et de contester parfois les modèles qu'on lui propose, il revient toujours au groupe, car il ne veut pas être rejeté par les autres.

Le jeune désire la totalité de l'expérience, surtout l'expérience de l'amour. C'est dans la mesure où il apprend à aimer, c'est-à-dire à échanger et à se donner, qu'il se constitue comme personne. Il se trouve lorsqu'il a l'occasion de se donner pour quelque chose qui le dépasse : une cause, un rêve, un désir, un ami, une amie, Dieu. Le temps passé à chercher ce plus « grand » que lui n'est jamais du temps perdu.

La société est devenue peu à peu davantage individualiste, technologique et consumériste ; la tentation est grande pour les adolescents de consommer toujours plus dans « le confort et l'indifférence ». Mais l'adolescent est fait pour brûler, pour toucher la beauté, pour partir à la poursuite de « l'inaccessible étoile », comme le chante Jacques Brel, envoûté par l'enfance, et qui a terminé sa vie dans la douceur d'une île, « claire comme un matin de Pâques ».

Dans la conjoncture économique et socioculturelle d'aujourd'hui, le passage de l'adolescence à l'âge adulte survient plus tard, vers le milieu de la vingtaine, et souvent un peu plus tard, au cours de la trentaine. On remarque que les jeunes tardent à quitter leur monde fantaisiste et idéaliste, à choisir une carrière et à se marier. Souvent captifs des écrans d'ordinateurs et des jeux vidéo, ils ne sont pas pressés de sortir de la dépendance de leur famille pour assumer leur autonomie et passer dans le monde réaliste des adultes. Ce qui occasionne des conflits, les parents ne sachant pas trop comment réagir.

Il n'est pas toujours agréable de s'asseoir à la même table que nos grands adolescents qui se cherchent et se terrent dans un mutisme qui change au gré de leurs humeurs et de leurs hormones. Un jour, c'est la gaieté, le lendemain, c'est la tristesse. Pourtant, ce rapport entre les âges stimule les échanges. Nous avons la tâche de leur transmettre des raisons de croire et d'espérer en la vie, de leur proposer un dépassement pour construire l'avenir, sans les étouffer et les décourager.

Le temps arrive tout de même assez rapidement où ils s'assument eux-mêmes en aimant et en travaillant. C'est l'heure de s'engager professionnellement, hors du nid familial, en fondant sa propre famille, en assumant sa part de responsabilités dans la société. C'est ainsi qu'après un long apprentissage d'insertion sociale, ils prennent progressivement racine en eux-mêmes et acquièrent une certaine indépendance.

## La trentaine et l'accueil de la vie

L'individu tente de se faire une place dans la société. Il a pu étudier plusieurs années, a trouvé un emploi, s'est marié ou vit en union de fait, a un enfant, ou désire en avoir. Il doit rembourser ses dettes d'études, se trouver un logement convenable, prouver sa valeur au travail, se conformer à ce que l'on attend de lui. Il ne ménage ni son temps ni ses forces. L'essoufflement le guette.

Cette période de la trentaine s'échelonne de vingt-cinq à trente-cinq ans. Le jeune adulte commence à mesurer l'écart entre ses rêves et la réalité, ses désirs et les obligations de la vie. Il prend conscience du parcours déjà accompli, qu'il est seul à pouvoir assumer, sans trop remettre en question certains de ses engagements, comme son travail et son mariage. Il désire se retrouver davantage lui-même, être plus libre, moins angoissé. Il se pose occasionnellement cette question, qui préfigure la crise de la quarantaine : «Ce que je fais actuellement, est-ce bien cela que je veux faire toute ma vie?»

Le trentenaire ressent parfois une insatisfaction, résultat d'un désir obscur qui n'est pas comblé. Une partie de lui-même est restée dans l'ombre, à cause des normes socioculturelles, économiques et parentales. Cette partie enfouie comme un trésor veut maintenant se laisser découvrir. Il s'agit de naître à soi-même, non à ce que les autres attendent. Les relations avec le patron et les collègues de travail, le conjoint et les enfants, se modifient. Le respect de sa personne devient vital, la gratuité dans l'intimité plus importante. Il donne du sens à ses réalisations, mais il constate que ses décisions ne sont pas toujours en conformité avec ses points de repère et ses valeurs.

Vers trente-cinq ans, l'adulte réalise avec plus d'acuité que le temps est limité. Il ne peut pas tout faire. Il connaît mieux ses aptitudes, mais il se demande quelles sont ses priorités maintenant. «Est-ce que je peux avoir cette promotion annoncée depuis un mois?» «Est-ce que je veux changer de métier?» «Dois-je avoir un autre enfant ou mettre un frein à ma carrière?» «Comment être disponible aux enfants et continuer le travail à l'extérieur?» «Est-ce que ça vaut la peine de faire tous ces efforts?» «Comment assumer le reste de ma vie?»

La tentation est grande de courir à gauche et à droite, sans prendre le temps de s'arrêter. L'homme ou la femme ne désire pas que ses réalisations, son métier, ses fonctions, prennent le dessus sur ce qu'il est vraiment. Il se cherche. Il ressent une plus grande solitude. S'il la fuit, elle l'envahira quelques années plus tard. Il aura beau trouver divers moyens pour combler le vide et l'ennui qu'il ressent, en travaillant toujours plus ou en esquivant les responsabilités conjugales et familiales, il se retrouvera à un carrefour où il devra choisir son chemin.

Alors qu'il approche de la quarantaine, l'adulte est amené à réexaminer ses raisons de croire, d'espérer et d'aimer. S'il est croyant, il doit se réapproprier sa foi en s'ouvrant à son désir profond et en vivant en communion avec les autres. En prenant la route de l'intériorité, il scrute le sens profond de ses engagements de vie.

À cet âge, l'homme veut se donner du temps pour approfondir le désir d'aimer, même si le travail prend toute la place. La femme révise ses choix touchant à la carrière et la maternité. Les deux ressentent le besoin de s'appartenir davantage. Le défi est d'accueillir la vie qui sourd en eux. Ils ont à s'ajuster à un nouvel impératif qui les pousse vers un horizon inconnu, à l'intérieur d'eux-mêmes. Cela les conduit au tournant le plus marquant de leur existence, le milieu de leur vie.

# La quarantaine et la crise du désir

Dérivé du terme grec *krisis* (décision, jugement), le mot « crise » est utilisé dans un contexte évolutif de croissance. La crise devient ainsi un lieu de croissance, une occasion de grandir, malgré les déséquilibres et les peurs. Il faut donc appréhender la crise comme une opportunité, non comme un échec. La quarantaine exprime ce défi de croissance. Les symptômes ne trompent pas : doute, manque de confiance, périodes de dépression, absence de plaisir à accomplir ce que l'on faisait habituellement, indifférence devant la vie, ambivalence, besoin d'aventure et de changement, difficulté à savoir ce que l'on veut, ennui, conscience de la mort, grand besoin d'intériorité, nuit de la foi pour les croyants. Ces indices sont des signaux qui indiquent que des choses sont en train de changer.

Tous ne sont pas frappés de la même façon par cette étape de la quarantaine – crise du désir et de la durée. Pour certains, le passage est graduel ; pour d'autres, il est immédiat. En revanche, tous peuvent la vivre comme une croissance psychologique et spirituelle. Cet âge des premiers bilans et des remises en question place chacun devant l'exigence de la connaissance de soi. L'inquiétude et l'insatisfaction exigent un retour sur soi qui transforme la personne de l'intérieur. Du point de vue de la foi, c'est Dieu lui-même qui est à l'œuvre et qui cherche à ébranler le cœur humain pour le délivrer de ses illusions et l'ouvrir à une nouvelle rencontre avec son mystère. La quarantaine devient alors un chemin de renaissance.

Au mitan de la vie, les certitudes s'effritent, les émotions s'entremêlent, les questions se multiplient. C'est le temps de recentrer sa vie en fonction du désir profond qui correspond à l'élan vital de l'être. Approfondir ce désir qui fait vivre, c'est aller au bout de soi-même, monter toujours plus haut, se dépasser en se décentrant de soi pour se tourner vers l'autre à aimer. Le désir, contrairement au besoin répétitif, est du domaine de la communication, de la relation, de l'amour, du spirituel en nous. Encore faut-il le nommer, l'ouvrir au désir de Dieu sur soi. La crise de la quarantaine en est l'occasion rêvée, car elle invite au changement et à l'intériorisation. On part à la conquête des aspects de sa personnalité que l'on a auparavant négligés.

« Le seuil des quarante ans est aujourd'hui un moment critique dans l'existence humaine. Jusqu'à ce tournant, l'itinéraire de beaucoup d'hommes et de femmes fut plein d'efforts et de réussites. Au moment où ils se réjouissent d'être «arrivés», voici que surgit un harcèlement inattendu : *il faut* se recycler, voire se réorienter ou même changer de métier; *il faut* devenir plus compétitif, car âpre est la lutte économique, précaire mainte situation. *Il faut* se remettre en question... Une fois la crise surmontée, les plus courageux – ou les plus chanceux – parviennent à ce que Beirnaert appelle la *sérénité dynamique* : état calme, mais pas «plat», de santé humaine. Ils vont leur chemin, paisibles parce que réalistes. Ils entreront en leur vieillesse avec une assurance contagieuse pour leurs proches.

(Père Amédée, Dominique Megglé, *Le moine et le psychiatre*,
Bayard Éditions/Centurion, 1995, p. 24-25)

Chacun est invité à passer des besoins répétitifs du moi narcissique (avoir et pouvoir) au désir comblant du moi profond (être et amour). Les questions favorisent la découverte du désir profond, lieu de la soif et de la parole. Elles créent du sens, mettent en route, touchent le passé, le présent et l'avenir, la place dans le monde : Où va ma vie? Ai-je fait des erreurs dans mes choix? Pourquoi est-ce que je me fatigue tant? Qu'est-ce que je veux? Qui suis-je vraiment? Qu'ai-je accompli d'important? Qu'est-ce qui m'intéresse le plus? Que sera l'avenir? Pourquoi mourir? Qu'est-ce qui me fait vivre?

Ces interrogations débordent les réalités physique et psychologique pour rejoindre la dimension spirituelle de notre être. Elles révèlent une crise existentielle qui pose la question du sens de la vie et de son devenir, de l'intégration des limites et de l'appel à vivre en accord avec son désir profond. Dans mon guide sur la quarantaine, je suggérais dix attitudes pour trouver ce désir qui fait vivre et qui nous accompagne jusqu'à la cinquantaine et la soixantaine : reconnaître son insatisfaction, écouter ses questions, trouver un sens à sa vie, convertir le besoin en désir, passer de la surface à la profondeur, avouer ses peurs, prendre le risque d'aimer, écrire son énoncé de mission personnelle, intégrer le côté mal aimé de soi, accueillir le désir de Dieu.

# La cinquantaine
# et la force d'un second souffle

L'adulte de quarante-cinq à cinquante-cinq ans entre générale-ment dans une étape qui sera la plus productive de son existence. Après le désert et la nuit du mitan de sa vie, il découvre parfois l'oasis d'une plus grande sérénité et l'aurore d'un jour nouveau. Bien intégré, l'apprentissage de la quarantaine lui a permis d'accepter ses limites, d'assumer son originalité, de découvrir son désir. Il a laissé tomber progressivement les attentes démesurées envers les autres, relativisant ce qui vient de l'extérieur et de l'immédiateté de l'expérience. Il peut maintenant savoir ce qui est le mieux pour sa croissance personnelle et celle de son entourage. Il entreprend des années fructueuses avec l'assurance d'un second souffle et le sentiment d'une plus grande liberté d'action. C'est l'idéal, je sais bien, mais tous sont appelés à cette liberté.

Le quinquagénaire, dans la pleine force de l'âge, éprouve mieux ce qu'il veut et ce qu'il ne veut pas. Il connaît ses talents, il veut les mettre au service de la société. Le temps file toujours, mais il n'est pas aussi oppressant qu'auparavant. L'adulte reconnaît les apports des autres sans se comparer à eux. Il n'a plus rien à prouver à per-sonne, mais il veut laisser une sorte d'héritage qu'il veut partager. Il ne veut pas garder pour lui le fruit de ses expériences. La solitude lui a appris à se dégager des rôles sociaux et à se situer à l'intérieur de son être. Il peut s'appuyer sur le passé pour se rendre disponible aux autres, surtout les plus jeunes, et les aider à bâtir l'avenir main-tenant. Il étend son rayonnement en voulant servir et non en étant servi, en se dégageant de ses intérêts pour mieux tenir compte de l'histoire des autres.

La cinquantaine offre donc l'occasion d'un nouveau départ. La personne se sent plus authentique, créatrice, féconde, ce que le psy-chanalyste Erikson a appelé la « générativité ». On réinterprète sa vie en la réinventant d'après ses forces et son idéal d'amour. La femme cultive davantage ses talents, exprime ses ambitions, approfondit ses convictions. L'homme comprend parfois que le travail n'était pas tout dans la vie et peut ressentir plus qu'avant le besoin de s'occuper des siens, de se consacrer davantage à ses enfants en les acceptant plus facilement comme ils sont, et ce malgré les incompréhensions possibles du passé. Ces derniers sont éduqués et un nouvel équilibre peut s'établir. La communication entre les conjoints devient aussi plus simple et intime, car chacun tient compte du cheminement de l'autre, dans la mesure où des pardons furent donnés dans le passé, ce qui n'est pas toujours le cas. Le chemin est long pour s'ouvrir à ce que la vie nous apporte. La paix intérieure est à ce prix.

À la cinquantaine, on regarde plus souvent la chronique nécrologique du journal. Les avis de décès de gens que nous avons connus nous disent que la vie a une fin ; nous ne pouvons pas réaliser tout ce que l'on voudrait. Mais comme le quinquagénaire situe chaque personne dans sa phase de vie et dans son unicité, il peut mieux laisser partir les personnes chères. Face à la mort de ses parents, par exemple, il est capable d'intérioriser les fruits de la relation établie avec eux. Cette intériorisation les rend présents autrement. Elle lui permet de vivre le deuil avec plus de facilité, car il situe le sens de leur mort dans l'ensemble du cheminement normal de leur vie.

L'adulte d'âge mûr apprécie ce qu'il a accompli et reconnaît ses erreurs. Il perçoit les grands passages de sa vie comme des pas de plus vers une plus grande croissance et maturité. Il trouve à l'intérieur de lui la force pour continuer tout en reconnaissant sa vulnérabilité. Il s'inquiète moins de ne pas maîtriser la situation, d'être incapable de tenir le coup devant l'échec d'une relation, à la maison ou au travail. S'il est croyant, il s'en remet avec confiance à la miséricorde du Dieu d'amour. Il prend sa joie à transmettre ce qui peut aider les autres à grandir. Il s'achemine ainsi vers la soixantaine avec humilité et vérité, ne cherchant pas à tout contrôler, acceptant d'être lui-même, reconnaissant la part ombrageuse qui l'habite : impatience, agressivité, jalousie.

> Lorsque nous approchons de la fin de la cinquantaine, nous n'avons plus rien à protéger et nous avons beaucoup moins peur de nous montrer dans notre humaine fragilité.

(André Daigneault, *La mémoire du cœur, op. cit.*, p. 158)

# La soixantaine et la voie de l'intériorité

Les découvertes d'un second souffle à la cinquantaine et le partage de ce qui contribue à la croissance préparent l'adulte à relever les défis de la soixantaine. Le grand défi est surtout de suivre la voie de l'intériorité afin de détecter les attentes et les besoins des autres pour mieux y répondre. Cette écoute lui permet d'être fidèle à ses priorités.

Ce ne sont pas les normes qui intéressent le sexagénaire, mais la croissance de la personne. Si le travail devient contraignant, il assouplit les règles pour l'ajuster à ses objectifs. Comme il n'a plus la même résistance physique, il envisage ce que l'on appelle la « retraite ». Il se donne des cadres pour s'organiser lui-même et il trouve du plaisir à explorer de nouvelles possibilités. Il se retire d'une fonction, non d'une contribution personnelle à la société. Il laisse aux générations suivantes le soin de continuer le travail alors qu'il peut relever de nouveaux défis en conformité avec ses priorités.

Si le pouvoir attaché à une fonction ou à un travail est moindre, cela ne veut pas dire que l'influence du sexagénaire s'estompe. Au contraire, il fonde son action sur plus de gratuité et de sollicitude. S'il aide les autres, il le fait en fonction du respect de l'autonomie de chacun, sans rien attendre en retour et sans vouloir dominer. C'est le pouvoir de l'amour qui l'intéresse de plus en plus, non l'amour du pouvoir.

Le sexagénaire qui a traversé la crise de la quarantaine sans la fuir gère son temps en fonction de sa propre dignité et de celle des autres. Il va vers ce qui lui semble prioritaire : accueil de ses enfants et petits-enfants, contact avec différents individus, interventions auprès des démunis, engagements divers selon son talent, préserver sa santé, faire de l'exercice. Il cherche à faire exister l'amour qui le dépasse, non à délivrer un message ou exercer un pouvoir. Jésus demeure un grand modèle de cet amour gratuit qui est sans masque et sans carapace, parce que humble et vulnérable :

L'envie de pouvoir est un substitut de l'amour refoulé. L'homme qui ne peut pas jouir du plaisir le plus grand, celui d'être aimé, compense ce manque par l'exercice du pouvoir. Ce dernier contient toujours un élément de vengeance : comme vous ne m'aimez pas, je vous contrôle!

(Helmut Jaschke, *Jésus le guérisseur*, Brépols, 1997, p. 54)

L'adulte d'âge avancé accorde une plus grande attention à sa vie conjugale et familiale. Les conjoints qui vivent ensemble depuis tant d'années ont appris à se connaître, s'accepter, se respecter. Le désir d'harmonie et de tendresse grandit avec leur amour. Cela se manifeste auprès de leurs enfants et petits-enfants. Ils exercent leur rôle de parents et grands-parents non comme une fonction mais comme un accompagnement. Ils n'entretiennent plus tout à fait le même type de relation avec leurs enfants devenus plus autonomes, mais ils restent disponibles s'ils ont besoin d'eux. Leurs petits-enfants leur procurent une grande joie, d'autant plus qu'ils n'ont pas les mêmes obligations qu'envers leurs propres enfants.

 **Pour les croyants**

En vieillissant, le sexagénaire emprunte un chemin d'introspection qui le conduit à une intériorité toujours plus grande. Il s'identifie plus à son être profond, à ce qu'il y a d'éternel en lui, au-delà de ce qu'il peut en saisir. Il devient présent à lui-même, à son mystère personnel, à celui de Dieu. Il cherche un sens à sa mort. Le Dieu qu'il prie n'est pas extérieur à ce qu'il vit, mais fait partie intégrante de sa vie. La foi qu'il désire jaillit de l'intérieur de lui-même; elle est une option personnelle. Plus il atteint la profondeur de son cœur, plus il s'approche de Dieu. C'est dans sa vie concrète de tous les jours que Dieu le prend pour le transformer en lui.

L'adhésion de cette foi en soi à la foi en Dieu se vit en cohérence avec la perception de sa carence d'être, indépendamment de son passé et de son avenir. L'intériorité se confond avec l'engagement, au-delà de tout activisme. Sa propre existence devient le lieu de la quête spirituelle et de la maturation de la foi. S'il s'abandonne à Dieu en toute confiance, c'est parce que Dieu lui-même se donne à lui à chaque instant dans la nudité de son être. S'il le cherche, c'est parce qu'il est d'abord cherché et trouvé par lui. L'objet de sa quête le possède déjà pour qu'il le cherche encore plus. Telle est la voie de l'intériorité chrétienne, exigeante et vraie. Le sexagénaire fait de sa foi une montée qui l'aide à descendre dans son cœur où l'attend «un je ne sais quoi» qu'il brûle d'obtenir.

> Un cœur vraiment grand, généreux,
> Ne se laisse point arrêter
> S'il peut passer, quoi qu'il en coûte,
> Si malaisée que soit la route ;
> Jamais il ne dit : C'en est trop.
> Sa foi monte, monte toujours,
> C'est qu'il est un je ne sais quoi
> Que son cœur brûle d'obtenir.

(Jean de la Croix, *Œuvres complètes*, Cerf, 1990, p. 209)

# La vieillesse et l'approche de la mort

Chaque âge a sa grâce, la vieillesse aussi. Qui est vieux aujourd'hui à soixante ans ? Surtout si «les hommes de soixante ans, en dehors de moi, me font l'effet d'en avoir soixante-dix», écrivait Tristan Bernard dans *Les enfants paresseux*. On ne se voit pas vieillir, c'est le regard des autres qui change sur nous à mesure que nous vieillissons. On retrouve un ami après plusieurs années et l'on trouve qu'il a vieilli, pas nous.

Aujourd'hui, la vieillesse commence après soixante-dix ans. Ce que nous appelons le troisième âge est devenu le quatrième âge, en attendant le cinquième. Les personnes âgées jouissent d'une meilleure santé qu'auparavant et sont plus actives. Elles représentent un créneau économique intéressant pour les commerces et les entreprises, même si la société valorise principalement les valeurs liées la jeunesse.

La vieillesse est l'âge des bilans. On ouvre les albums de photos en sirotant un café ou une tisane. Les souvenirs, plus ou moins heureux, défilent sous les yeux. On tourne les pages et la mémoire déverse son plein d'émotion. On aimerait arrêter le temps pour revivre ces moments d'amour avec nos parents, nos frères et sœurs, nos enfants et petits-enfants. Voilà bien notre famille, avec ses grandeurs et ses limites. C'est le temps d'intégrer notre histoire, passée, présente et future, et de l'ouvrir à la mort qui approche, sans fausse pudeur. C'est l'heure de l'espoir et du pardon, malgré les périodes d'angoisses inhérentes au grand âge, faites de doute, d'ennui et de solitude. Donner le pardon, c'est revivre ; le recevoir, c'est enfanter l'autre à la joie.

En avançant en âge, la mort devient préoccupante. Il y a des gens qui ont peur de mourir et s'ennuient de vivre car ils ne trouvent plus de sens à la vie. Ils ne savent pas vieillir et refusent de se laisser aider. Ils ne descendent pas dans leur cœur pour prier et rencontrer le Dieu d'amour qui y habite. Leur détresse spirituelle est telle qu'ils ne veulent pas être un fardeau pour leurs proches : les tentatives de suicide qui frappent de plus en plus de vieillards et qui demeurent un sujet tabou en sont des exemples. Ce qui devrait être le temps d'une certaine sérénité devient celui de la désespérance.

La mort prend le visage du corps vieillissant, d'un état de santé défaillant, d'une vie au ralenti, de la peur d'être à la charge de quelqu'un. Nous pouvons la laisser entrer et la regarder sereinement, en écoutant, par exemple, le *Requiem* de Fauré, en relisant un bon livre, en partageant avec quelqu'un qu'on aime, en revisitant le pays de l'enfance, en priant un Dieu qui nous crée toujours avec autant d'amour, puisque chacun est unique à ses yeux. Être là, sans rien vouloir, sans prouver quoi que ce soit, parce que l'amour est le dernier mot de tout. Les petits-enfants en sont la preuve, eux qui portent tous les possibles du monde avec leur fragilité.

> Crée un être, et dis-moi
> Si ce n'est pas miracle ?
> La mort montait vers toi,
> L'amour fut son obstacle.
>
> (Henri Pichette, *Odes à chacun*, Gallimard, 1988, p. 34)

Le vieillard traîne la nostalgie de son enfance, le chant du début de sa vie. Cet air a les notes de l'amour ou de la haine, selon son itinéraire. Cet enfant a maintenant les sourcils blancs, le dos courbé, le souffle qui se fait court, les yeux ouverts sur un horizon flou. Il apprend la mort qui laboure son corps, l'apprivoise en contemplant la croix dans toute sa fulgurance. Il porte sa mort comme on porte un enfant, qui s'en va à l'écart vers des terres si peu désertes, tranquille dans la patience des hivers.

> Au fond des cryptes de la pluie
> Dans la forêt terre et ciel remués
> Je sais que tu m'attends encore
> Enfance loin de moi comme le sang au bout des membres
> Tendre remous à la veine bleue.
>
> (Roland Bouhéret, *Invocations*, Besançon, Cêtre, 1984, p. 97)

Pour le croyant, la vieillesse est le temps d'attendre Dieu comme un veilleur attend l'aurore et d'accepter que la tâche de notre vie reste inachevée. On se prépare à mourir, à vivre son passage, parfois à travers les longues épreuves du vieillissement et de la maladie. La foi nous dit que nous survivons à la mort du corps physique. Des poètes ont chanté la mort comme une amie attendue. Pour Félix Leclerc, la mort est grande et belle, « il y a plein de vie dedans ». Pour Léo Ferré, la mort est délivrance, elle est « sœur de l'amour » :

> La mort est délivrance, elle sait que le temps
> Quotidiennement nous vole quelque chose,
> La poignée de cheveux et l'ivoire des dents […]
> La mort c'est l'infini dans son éternité,
> Mais qu'advient-il de ceux qui vont à sa rencontre ?
> Comme on gagne sa vie, nous faut-il mériter la mort ?
>
> *(Ne chantez pas la mort)*

Nous vivons tous des petites morts dans nos vies fragmentées en âges et en étapes. Au-delà des ruptures et des passages, nous restons l'enfant que nous avons été et nous sommes déjà le vieillard que nous serons. L'existence de l'enfance en nous est promesse d'avenir. Et pour ceux qui croient, elle dévoile l'obscur mystère de l'éternelle enfance de Dieu dans le jeu même de la vie et de la mort.

## Poème

Rien n'est plus doux
aussi que de s'en revenir
Comme après de longs ans
d'absence,
Que de s'en revenir
Par le chemin du souvenir
Fleuri de lys d'innocence,
Au jardin de l'Enfance.

Au jardin clos, scellé,
dans le jardin muet
D'où s'enfuirent les gaietés franches,
Notre jardin muet
Et la danse du menuet
Qu'autrefois menaient
sous branches
Nos sœurs en robes blanches.

Aux soirs d'Avrils anciens,
jetant des cris joyeux
Entremêlés de ritournelles,
Avec des lieds joyeux
Elles passaient, la gloire aux yeux,
Sous le frisson des tonnelles,
Comme en les villanelles.

Cependant que venaient,
du fond de la villa,
Des accords de guitare ancienne,
De la vieille villa,
Et qui faisaient deviner là
Près d'une obscure persienne,
Quelque musicienne.

Mais rien n'est plus amer
que de penser aussi
À tant de choses ruinées !
Ah ! de penser aussi,
Lorsque nous revenons ainsi
Par des sentes de fleurs fanées,
À nos jeunes années.

Lorsque nous nous sentons
névrosés et vieillis,
Froissés, maltraités et sans armes,
Moroses et vieillis,
Et que, surnagent aux oublis,
S'éternisent avec ses charmes
Notre jeunesse en larmes !

Émile Nelligan, *Poésies complètes*, Fides, 1967, p. 55.

# 8
# Notre sœur la mort

Rien ne nous vieillit comme la mort de ceux que nous avons connus depuis notre enfance. Je suis aujourd'hui plus vieux d'un mort.

Julien Green, *Journal*

Chaque être humain est un petit univers où se revit l'histoire du monde à partir de sa propre histoire : naissance, enfance, adolescence, âge mûr, vieillesse. Chacun est un être collectif. Nos gènes, notre langage, notre conscience sont les fruits de centaines de générations. Nous sommes le produit de mille étreintes, rencontres, paroles. Nous récapitulons l'humanité qui nous précède et nous préparons celle qui suit.

• • • • • • • • • • • • • • • • • • • • • • • • • • • • • • • • • • • •

## Pour les chrétiens

L'histoire de chaque personne est sacrée, de la conception à la mort. À chaque âge de sa vie, il revit l'histoire d'un salut que le Christ est venu apporter par sa mort et sa résurrection. Les chrétiens ne forment qu'un seul corps dans le Christ. Ce que l'un vit se répercute sur l'autre. Cette solidarité dans le corps mystique du Christ est développée par saint Paul dans une analogie avec le corps.

Prenons une comparaison : notre corps forme un tout, et pourtant nous avons plusieurs membres, qui n'ont pas tous la même fonction ; de même, dans le Christ, tous, tant que nous sommes, nous formons un seul corps; tous et chacun, nous sommes membres les uns des autres. Et selon la grâce que Dieu nous a donnée, nous avons reçu des dons qui sont différents.

(Romains 12, 4-6)

Jésus n'a pas expérimenté la crise de la quarantaine, le défi de la soixantaine et le déclin physique de la vieillesse, mais il vit ces étapes à travers nous. Les aînés assument dans leur corps et dans leur esprit le vieillissement du Corps mystique du Christ, continuant ainsi sa passion. Par contre, Jésus a connu le grand passage de la mort à l'âge de trente-trois ans. Il est entré dans le Royaume, nu et désarmé, comme un enfant. Il nous dit quelque chose d'unique sur la mort et Dieu en sa qualité de Fils bien-aimé du Père. Il nous a laissé une attitude fondamentale pour habiter nos vieux jours et affronter la mort :

Si vous ne changez et ne devenez comme les enfants, non, vous n'entrerez pas dans le royaume des cieux.

(Matthieu 18, 2)

• • • • • • • • • • • • • • • • • • • • • • • • • • • • • • • • • • • • • • •

# Accepter sa mort

Nous traversons des étapes dans la vie qui nous dépouillent pour mieux arriver légers au dernier seuil. Dès la naissance, nos parents ne savent pas ce que nous ferons dans la vie, mais ils savent que nous allons mourir un jour. Nous grandissons, les décennies passent, nous vieillissons. Nos forces diminuent, nous avons moins de résistance pour entreprendre de grands travaux dans la maison, nous récupérons plus lentement après une grippe, nous portons les traces de l'âge. Un jour, la maladie arrive, inguérissable. Les digues de la mort s'ouvrent, son eau nous inonde. La mort fait son entrée sur la scène de notre vie et nous joue son tour de passe-passe. Ce n'est pas elle qui prend la vie donnée et accueillie. Thérèse d'Avila, femme de désir et d'oraison, le savait : «Ô mort, je ne sais pas comment on peut te redouter, puisque c'est en toi qu'est la vie!» Pour le cinéaste Woody Allen, l'approche est différente : «Je n'ai pas peur de la mort, je désire seulement ne pas être là quand elle viendra. »

Ce n'est pas aisé pour tout le monde d'accepter sa propre mort lorsque, par exemple, le médecin diagnostique soudainement une maladie incurable. Il y a plusieurs étapes à franchir, que la psychiatre Élisabeth Kübler-Ross a bien développées. D'abord la négation. La personne se retire pour comprendre ce qui lui arrive; le temps s'arrête, l'angoisse monte. Elle peut ressentir de la colère et de la révolte, surtout si elle semble en bonne santé. «Pourquoi moi?» Elle essaie de camoufler la réalité : «Le diagnostic n'est sûrement pas bon. » Elle marchande et attend le miracle de sa guérison : «Il doit exister un remède quelque part. Je vais prier.» Comme rien ne change, c'est la dépression. Arrive enfin l'acceptation, car accepter de mourir, c'est accepter de vivre.

Chacun est libre de choisir son attitude devant la souffrance et la mort. Ce n'est pas de savoir s'il y a de la vie après la mort qui importe, mais de se sentir bien vivant avant. Nous avons toujours le choix de dire oui à la mort, cette vie qui se transforme et nous transfigure, d'autant plus que la médecine soulage assez bien la douleur de nos jours. Ce n'est pas parce que nous allons mourir que nous devons nous priver des joies que le quotidien apporte : un chant d'oiseau, le vert des arbres, un regard tendre, un temps d'arrêt dans la balançoire, le partage avec les siens, un bon repas, une courte prière…

Personne ne sait exactement le temps qu'il lui reste à vivre, mais on peut choisir la manière de vivre le temps qu'il nous reste. On peut prendre conscience du moment présent, de ce qui nous entoure, des sons que nous entendons, des couleurs que nous voyons, des odeurs que nous sentons. On se rappelle les moments de bonheur, d'extase et d'émerveillement, comme la naissance d'un enfant, un coucher de soleil, une pièce musicale, un film émouvant, une œuvre d'art, la contemplation d'un paysage, un moment de prière intense, une belle liturgie, un soir d'intimité conjugale. Nous gardons ainsi le contact avec notre milieu.

En ressentant la fin qui approche, la personne sent le besoin de lâcher prise et de vivre des temps d'intimité avec elle-même, les autres et son Dieu si elle est croyante. Elle peut en profiter pour dire adieu à des gens, approfondir des liens avec d'autres, mettre de l'ordre dans ses affaires, prendre un dernier repas avec sa famille. Les masques tombent, la tentation du pouvoir ne semble pas avoir d'emprise sur elle. La perspective de la mort lui enlève tout sentiment de domination. On peut aussi faire la relecture de sa vie en se pardonnant à soi-même et aux autres, célébrer les réalisations de notre vie et planifier quelques projets réalisables à court terme. On se détache petit à petit de soi-même et des biens matériels jusqu'à être capable de dire «oui» à sa propre mort, à sa vraie naissance. Car mourir occupe bien nos journées.

> Une comtesse, vivant les derniers moments de sa vie, reçut une invitation pour assister à un bal donné par une autre dame de la haute société qui ignorait son état de moribonde. La comtesse, qui faisait toujours les choses avec élégance, lui fit parvenir cette réponse : «Madame, recevez toutes mes excuses; je ne pourrai assister à votre bal, étant tout occupée à mourir.»
>
> (Cité dans Jean Monbourquette, Denise Lussier-Roussel, *Le temps précieux de la fin*, Montréal, Novalis, 2003, p. 178)

# Naître à l'infini

Tout prend fin un jour ou l'autre. C'est la mort et son après. Naître à l'infini n'est pas de ce monde. La vie dépasse la vie. Elle est autre dans son accomplissement, libre, gratuite et absolue. En acceptant notre mort, nous commençons à vivre vraiment.

· · · · · · · · · · · · · · · · · · · · · · · · · · · · · · · · · ·

 ## Pour les chrétiens

Deux événements déterminants m'ont aidé à regarder la mort en face : une pneumonie qui marqua la fin de ma crise de la quarantaine, le décès de mon beau-père qui précéda mon entrée dans la soixantaine. J'en partage avec vous les grandes lignes.

À l'été 1995, une double pneumonie me clouait au lit. Je pensais mourir. Plus rien ne me retenait à la vie, pas même mon épouse et mes enfants. Je me sentais si vieux au-dedans. Je priais comme j'étais, dans la position allongée d'un corps qui s'en remettait à Dieu. Je ne pouvais plus agir qu'en accueillant ce que je vivais dans le moment présent. Je répétais le nom de Jésus à chaque respiration, comme si je m'accouchais pour naître de nouveau. Je me sentais flotter dans la chambre. Je lâchais prise. Je m'abandonnais enfin, simplement, pauvrement, remettant à Dieu ma vie qui lui appartenait. J'acceptais mes limites. Je me laissais défaire pour être refait autrement. Ce n'était pas de la résignation, mais la joie d'une rencontre. Au matin, tout était neuf. La mort devint ainsi une amie, une sœur. En l'acceptant, c'est la vie que j'accueillais. Je commençai à vivre vraiment.

Depuis ce jour, l'angoisse de la mort m'a quitté. J'empruntai un autre passage, une petite voie de libération faite d'amour et de confiance. Une jeune carmélite de Lisieux, morte de tuberculose à vingt-quatre ans, en avait tracé l'itinéraire sur des manuscrits que seuls ceux qui n'ont plus rien à prouver peuvent déchiffrer. La rencontre avec Thérèse de l'Enfant-Jésus, lors du centenaire de son entrée dans la vie (1897-1997), marqua la fin de ma quarantaine. Je dois beaucoup à cette femme de désir qui comprit par sa vie que l'amour infini du Dieu Père, Fils et Esprit se complaît surtout dans ce qui est petit, faible, délaissé, éprouvé.

Le décès de mon beau-père le 10 novembre 2006, à l'âge de quatre-vingt-trois ans, fut une autre occasion de côtoyer la mort et de l'accepter. J'étais très proche de cet homme de foi. J'ai pu l'accompagner avec mon épouse les derniers mois de sa maladie. Nous le regardions sur son lit à l'Hôtel-Dieu de Victoriaville comme si nous fixions un nouveau-né. Nous le laissions aller en priant près de lui, ne voulant pas retarder sa naissance en Dieu. Il s'en retournait vers les siens de la communion des saints. Mon épouse a pu lui dire quelques secondes avant son départ : « Laisse-toi aller, papa, va rejoindre tes parents qui t'attendent, tes frères et sœurs, Jésus que tu as tant aimé. » Nous lui avons fermé les yeux pour que les nôtres s'ouvrent sur sa vraie naissance. La mort l'a ensoleillé devant nous. L'émotion fut si vive que j'ai voulu en témoigner dans un recueil de poèmes, *L'ensoleillé*, et dans un récit au titre provisoire, *Fraternelle souvenance*.

Mon beau-père est mort comme il a vécu, en aimant et en priant. Nous avons l'impression qu'il n'est pas parti, mais qu'il est enfin arrivé dans un monde différent du nôtre. Il n'est pas disparu, il apparaît ailleurs, dans le mystère d'une présence. Il ne s'est pas éteint, il est allumé au feu même du Ressuscité. La liturgie de l'Église nous a accompagnés jusqu'au dernier adieu avec recueillement et respect. Les chants et les silences, les rites de l'encensement et de l'aspersion du corps ont soutenu notre prière jusqu'au cimetière.

Les derniers mois de la vie de mon beau-père m'ont enseigné trois choses. La vie n'a de sens que dans la perspective d'un salut qui la libère de toute impasse. La mort n'a de sens que dans le don par Dieu d'une vie éternelle. Entre les deux, l'amour à vivre au quotidien, qui constitue le chemin d'un tel salut et l'horizon d'une éternité à venir. Thérèse d'Avila résumait cela par cette maxime : « Vivre toute sa vie, aimer tout son amour, mourir toute sa mort. »

Il y a une parole de Jésus en croix qui m'a souvent accompagné dans les moments difficiles de ma vie et qui a aussi porté mon beau-père. Cette parole est une prière d'abandon qui s'inspire du Psaume 30 (36), 6 :

Père, entre tes mains je remets mon esprit.

(Luc 23, 46)

Luc est le seul évangéliste qui relate cette prière. Jésus remet son esprit, c'est-à-dire sa vie, avec confiance dans les mains du Père. J'aimerais que cette prière soit mienne à l'heure de ma mort. Jésus meurt et vit en nous. Nous faisons corps dans la mort avec lui, l'œuvre d'amour pour toujours.

# Vivre l'œuvre d'amour

Lors d'une conférence sur la mort en juillet 2008, je demandai aux participants ce qu'ils feraient s'il leur restait une heure à vivre. Les réponses furent diverses et pleines de vie. En voici quelques-unes :

— Je réunirais mon épouse et mes enfants et je leur dirais combien je les aime.

— Je me recueillerais dans le silence et je prierais.

— Je ferais exactement ce que je fais en ce moment.

— Je ne sais pas, la question est trop abstraite et hypothétique.

— Je téléphonerais à quelqu'un pour lui demander pardon.

— Je prendrais un verre de vin au soleil.

— Je m'arrangerais pour que tous mes papiers soient en ordre, surtout mon testament et les arrangements funéraires.

— J'irais me coucher pour ne pas inquiéter mes proches.

La mort est mystérieuse et silencieuse. Il est facile d'en parler lorsque nous ne la voyons pas près du lit. On l'entend venir à petits pas, pour soi ou pour les autres, dans l'infini d'une absence, d'une présence. Elle nous force à aller au-delà des apparences, nous fait entrer dans les profondeurs de notre âme, nous ouvre une fenêtre au soir de la vie. Elle donne à l'heure sa densité d'amour ou de rancœur. De temps à autre, nous chantons pour l'apprivoiser dans le noir; à un autre moment, nous nous sentons bénis par elle.

La mort apporte le savoir de l'abyssal dénuement au moment de quitter la vie. Elle fait craquer le corps comme une écorce, le rafraîchit comme un matin unique, le dégage des glaces de l'angoisse pour céder à l'appel du large et l'emporter dans un océan d'espérance. Elle tient la promesse faite à l'aube de revrdir ailleurs. L'affronter avec sérénité, c'est élargir la conscience de ce que nous sommes.

La mort est le silence après le saut, le baume sur les yeux, le soleil sur la neige, le pont au-dessus du tourbillon, la paix après le combat, le deuil de l'éphémère, l'accomplissement de la vie. Par elle, nous nous élançons hors du temps, nous tombons dans les bras de Dieu, nous rentrons enfin chez nous, dans notre maison, avec cette partie secrète que personne ne connaît ici-bas.

La mort est une force non maîtrisée. Elle semble nous détruire sur le chemin du retour. Mais elle transforme tout en fruits, surtout lorsque nous nous élevons au-dessus d'elle par l'amour et que nous faisons de l'inévitable dépouillement le don volontaire de notre pauvreté. Elle est l'artiste qui crée du neuf si nous offrons ce que nous devenons. Nous pouvons la traverser par le souffle de l'Esprit qui rassemble les ossements desséchés dans la vallée de nos larmes.

«Ossements desséchés, écoutez la parole du Seigneur : Je vais faire entrer en vous l'esprit, et vous vivrez. Je vais mettre sur vous des nerfs, vous couvrir de chair, et vous revêtir de peau; je vous donnerai l'esprit, et vous vivrez. Alors vous saurez que je suis le Seigneur.» […] Puis le Seigneur me dit : «Fils d'homme, ces ossements, c'est tout le peuple d'Israël.» Car ils disent : «Nos ossements sont desséchés, notre espérance est détruite, nous sommes perdus!» Eh bien, adresse-leur cet oracle. Ainsi parle le Seigneur Dieu : «Je vais ouvrir vos tombeaux et je vous en ferai sortir, ô mon peuple, et je vous ramènerai sur la terre d'Israël. Vous saurez que je suis le Seigneur, quand j'ouvrirai vos tombeaux et vous en ferai sortir, ô mon peuple! Je mettrai en vous mon esprit, et vous vivrez; je vous installerai sur votre terre, et vous saurez que je suis le Seigneur : je l'ai dit, et je le ferai.» Parole du Seigneur.

(Ézéchiel 37, 4-6, 11-14)

. . . . . . . . . . . . . . . . . . . . . . . . . . . . . . . . . . .

## Pour les chrétiens

Jésus va connaître une mort violente sur la croix, puis il va ressusciter le troisième jour d'entre les morts. C'est le cœur de la foi chrétienne. La mort fut touchée en plein cœur, un certain matin de Pâques, par une parole de vie. Don de la foi et courage de croire! Il n'y avait pas de caméras dans le tombeau de Jésus, cela dépasse le reportage. La résurrection de Jésus est une affaire de foi. La mort elle-même crie victoire, délivrée du trou noir qui la retenait captive. Son chant palpite dans l'invisible des tombeaux. Le Christ se lève victorieux sur les cimetières de novembre. Nous l'entendons parfois ce chant d'espérance dans la liturgie des églises, comme cette prière d'ouverture d'une messe pour demander la grâce d'une bonne mort :

> Dieu qui nous as créés à ton image, tu veux que nous soyons des vivants; et pour que la mort ne nous détruise pas, ton Fils est venu la vaincre en mourant. Accorde-nous la grâce de veiller avec lui dans la prière, pour qu'à l'heure de quitter ce monde, nous soyons en paix avec toi et avec tous, et que nous retrouvions la vie au plus profond de ta miséricorde.

## Une nouvelle naissance

Il y a un temps pour tout, dit Qohélet, appelé aussi l'Ecclésiaste : « un temps pour enfanter et un temps pour mourir » (Qohélet 3, 1-2). De l'enfance à la vieillesse, que de passages et de voyages qui nous épurent! Nous en faisons le compte en regardant les outils rouillés, en évoquant les jeux oubliés, en dénombrant les fêtes et les départs, en feuilletant les vieux agendas. « On prend toujours un train pour quelque part », chantait Gilbert Bécaud. Et c'est ainsi que nous arrivons un jour à la gare centrale, avec ou sans bagages, légers ou lourds, du don que nous avons fait de notre vie.

Tout commence à la naissance et tout s'achève à la mort qui est souvent vue comme une seconde naissance. On naît et on meurt comme on peut, bien que pour certains on meure toujours une fois de trop. La naissance et la mort sont les deux grandes expériences personnelles de notre vie. Elles opèrent un changement radical qui nous fait passer d'un milieu à un autre. On vient au monde seul et on quitte ce monde seul, même si les êtres chers sont près de nous. Personne ne naît et ne meurt à notre place, surtout pas l'ordinateur ou le BlackBerry.

Une société qui perd tout contact naturel avec la mort est une société qui s'éloigne de l'enfance. Quand la fin de la vie n'éclaire plus son commencement, la vie perd de sa couleur. Et pourtant, le début et la fin se côtoient sans arrêt, à l'ombre des berceaux et des lits, laissant passer le jour ou la nuit, la naissance ou la mort.

> Ai-je jamais été enfant
> Moi qui peux parler de l'enfance
> Comme je parle de la mort
>
> J'invente mon enfance et j'invente la mort
> Passant je m'asphyxie d'être naissant mourant
> Et je cherche à me joindre ailleurs à une autre heure

(Paul Eluard, *Poésie ininterrompue*, Gallimard, 1972, p. 109-110)

L'enfant arrive avec les contractions et les premiers cris. Tout le monde est ravi. Il repart dans la sueur, en remettant le souffle qui lui a été prêté, et l'on pleure. Un aphorisme indien dit : « À ta naissance, tu as pleuré alors que le monde entier se réjouissait. Vis de telle sorte qu'à ta mort le monde entier pleure et toi, tu te réjouisses. »

Vivre, c'est naître pour mourir. Cette mort fait son œuvre en nous assez tôt par les cellules qui vieillissent et qui se perdent. Nous portons la mort en nous-mêmes, fait remarquer le poète Patrice de La Tour du Pin, influencé par la biologie ; mais pour le chrétien qu'il est, la naissance aboutit au matin de Pâques.

> De sentir que la mort est en soi, que l'on meurt à chaque instant, que la mort n'est pas seulement finale, que son effet commence dès la naissance, cela vous explique énormément de choses sur la Passion du Christ qui commence à sa naissance. Pâques commence à Noël, – sur le baptême qui s'inscrit dans le mouvement de la mort… C'est une perspective très intéressante du point de vue chrétien. Il faut partir à la fois de la naissance et de la mort : cet accouplement des deux forces me semble être le mystère de notre vie, que la résurrection du Christ transforme.

(Patrice de La Tour du Pin, « Rencontre de Patrice de La Tour du Pin », *Promesses*, 1966, 17, p. 50)

### Pour les chrétiens

Nous n'avons jamais fini de naître. Notre naissance est en avant, jusqu'à notre ultime «enfantement», pour reprendre l'expression de saint Ignace d'Antioche, supplicié à Rome vers 117 : «Il est bon pour moi de mourir pour m'unir au Christ [...] Mon enfantement approche [...] Laissez-moi recevoir la pure lumière» (Lettre aux Romains). Dix-huit siècles plus tard, la carmélite Élisabeth de la Trinité dira un peu la même chose la veille de sa mort : «Je vais à la Lumière, à l'Amour, à la Vie.» Qu'à cette heure de l'ultime rencontre où Dieu nous révélera enfin son vrai nom et son visage, nous puissions dire avec Claire d'Assise : «Mon Dieu, merci de m'avoir créé.»

Ce que nous appelons la mort est une transition d'un plan à un autre. Tout se transforme. Pour les croyants, la mort est vue comme le jour de la véritable naissance. Thérèse de Lisieux avait écrit quelques mois avant sa mort : «Je ne meurs pas, j'entre dans la vie.» Que de saisons pour apprendre à vivre et à mourir, à prier et à aimer! Que de passages pour assumer sa propre naissance et advenir à son humanité! La foi chrétienne nous dit que Dieu a pris le risque de l'amour en prenant chair de notre chair pour que nous accédions à sa naissance en nous.

# Des petites morts

Arrivés à la soixantaine, nous avons déjà fait l'expérience de la mort plusieurs fois, si ce n'est par la maladie, la dépression, les épreuves, la disparition des membres de notre famille, le décès d'amis. Nous mourons toute notre vie. Notre sommeil même ressemble à la mort.

Nous mourons chaque fois que nous prenons congé de quelqu'un pour aller d'un endroit à un autre. Nous mourons lorsque nous partons en voyage et que nous quittons quelque chose.

Nous mourons lorsque nous nous exerçons à une ascèse. L'athlète qui se prépare à une compétition ou l'artiste qui s'exerce à son art vit une petite mort.

À la suite de la mort de Socrate, Platon a montré que philosopher, c'est apprendre à mourir, car la philosophie est surtout une méditation de la vie qui nous entraîne au-delà de soi et nous détache de ce qui n'est pas essentiel. Cette méditation se construit à travers les échecs, les défaites, les souffrances, les épreuves, les deuils. Qui parle aujourd'hui de cette loi du grain de blé qui tombe en terre pour porter du fruit? Dans un monde ludique et angoissé, on préfère ne pas voir ce qui vieillit, ce qui meurt, parce que tout semble vide après, alors on se divertit et on se fuit jusqu'à l'épuisement. L'obsession du sexe devient le symptôme du refoulement de la mort, le moyen de prouver que l'on est en vie. On ne peut se réconcilier avec la mort qu'en donnant un sens à sa vie. C'est notre noblesse de «roseau pensant», disait Pascal, car nous sommes les seuls à savoir que nous mourrons.

Un exemple de cette méditation féconde de la mort. Qu'aurait été la vie d'Alexandre Soljenitsyne sans l'expérience terrible du goulag? Décédé le 4 août 2008, à l'âge de quatre-vingt-neuf ans, ce prix Nobel de littérature a montré par sa vie et sa foi orthodoxe que certains malheurs nous obligent à approfondir notre vie intérieure, à nous élever spirituellement. Son corps, à l'étroit dans le totalitarisme soviétique, a donné à son esprit une liberté et une créativité qu'il n'aurait pas connues autrement. Il bénissait la prison qui lui avait donné l'occasion d'être l'écrivain qu'il était devenu. Aujourd'hui, on parle de «résilience». Nelson Mandela en sait quelque chose, Ingrid Betancourt aussi.

«L'homme se révèle devant l'obstacle qui lui résiste», écrivait Saint-Exupéry dans *Terre des hommes*. Beethoven composa sa *Neuvième symphonie* alors qu'il était sourd. Mère Teresa prend conscience de sa vocation à Calcutta et se met au service des plus pauvres d'entre les pauvres. L'abbé Pierre se découvre apôtre des sans-abri un hiver 1954. Tel auteur écrit un best-seller alors qu'il est aveugle, une artiste handicapée danse avec ses prothèses. La liste serait longue. Un proverbe arabe dit : «Ce ne sont pas les difficultés du chemin qui font mal aux pieds, mais le caillou que tu as dans ta chaussure. »

Pensons aux hommes politiques comme de Gaulle et Churchill qui ne seraient pas devenus ce qu'ils ont été sans l'expérience de la Seconde Guerre mondiale. Pensons aux rescapés des camps de concentration ou du ghetto de Varsovie comme Martin Gray, Viktor Frankl, Élie Wiesel. Ils ont trouvé un sens à leur vie en faisant mémoire des horreurs qu'ils ont vécues. Ceux et celles qui ont subi la mort dans ces mêmes camps ont fait fleurir la paix, comme Maximilien Kolbe, Etty Hillesum, Édith Stein. «L'homme est ce qu'il croit être», écrivait Tchekhov.

Nous mourons de différentes manières pour donner naissance à la vie. Chaque accouchement est une petite mort, chaque naissance d'une œuvre artistique aussi. Nous mourons tout le temps pour mieux vivre le dernier moment comme l'accomplissement de notre vie. La mort est un achèvement, non une destruction. Elle est souvent vue comme un sommeil qui nous éveille, une présence qui accompagne nos nuits et nos jours, une naissance que l'on porte en soi, un départ vers un jour nouveau, une résurrection.

### Pour les chrétiens

Nous mourons aussi d'une certaine manière lorsque nous prions les yeux fermés, en silence, dans le recueillement d'une oraison de simple présence. L'oraison chrétienne nous apprend à mourir en nous centrant sur le Christ qui est passé de la mort à la vie. Cette forme de prière solitaire est une sorte de mort, de désappropriation de soi, où on se tient immobile devant le Seigneur pendant de longues minutes, par amour, malgré les inévitables distractions. Nous avons l'air de dormir, mais la vie n'a jamais été aussi intense parce que intérieure et habitée par l'Esprit Saint, le maître par excellence de l'oraison qui vient en aide à notre faiblesse.

# Corps et âme

Un jour, des enfants demandèrent à leur professeur ce que c'était que de mourir. Il leur répondit que c'était comme s'endormir sans se réveiller. Un enfant s'exclama spontanément : « Moi, je ne mourrai jamais, car c'est ma mère qui me réveille tous les matins. »

Par la mort, le corps a fini de dormir. Il vient au jour après une longue gestation dans la nuit de ce monde. Nous avons communiqué avec tout notre corps durant des décennies, maintenant notre âme devient notre véritable personnalité qui continue cette communication autrement.

On dit parfois de quelqu'un qui meurt qu'il a rendu son âme à Dieu. L'âme ne sort pas du corps, elle en est séparée. Comment? Mystère. Quelle énigme que l'âme sans poids, vitale comme le souffle partagé. Elle est une flamme vive du dedans qui nous accompagne à chaque instant et que nous ne pouvons deviner qu'à travers le regard amoureux. Elle frémit de vie, malgré le délabrement du corps, dense de toutes nos relations. Elle tire sa sève de notre foi en un Dieu qui a ses connivences avec l'enfance.

> Les anciens imaginaient que l'âme du mort, tel un enfant, allait vers Dieu portée par les anges. C'est donc que, selon eux, l'acte de mourir a quelque rapport avec l'enfance, une enfance spirituelle qui a la liberté d'allure et de mouvement de qui n'a pas encore eu le temps d'accumuler.
>
> (Henri Bourgeois, *La mort*, Paris-Ottawa, Desclée-Novalis, 1988, p. 47-48)

Dans le Nouveau Testament, on ne parle pas tellement d'un corps périssable et d'une âme immortelle. Cette distinction vient de la Grèce antique. Le corps dans la Bible désigne tout l'être humain qui entre en relation avec le cosmos, les autres, Dieu. Ce corps est appelé à la résurrection. Deux verbes sont utilisés couramment pour signifier ce mystère de vie : se réveiller et se lever. Ces mots évoquent l'image du sommeil. Ils signifient que les morts qui se sont endormis se réveilleront dans la lumière et se lèveront dans la vie. « *M'illumino d'immenso* », écrivait Ungaretti, mort à Milan en 1970 : « Je m'illumine d'immensité. »

## Pour les chrétiens

La résurrection ne concerne pas seulement l'après-vie ; elle est déjà commencée en cette vie chez les baptisés. Dieu est en nous comme une semence qui germe dans notre humanité appelée à la résurrection. À la mort, se réalisera la pleine révélation de la gloire divine en nous. Notre corps charnel deviendra un corps spirituel. Comme notre corps se transforme ici-bas au long des âges tout en gardant son identité, il se transformera d'une manière nouvelle dans la résurrection du Christ. Il est difficile d'en dire plus car nous ne savons pas ce qu'est un corps spirituel, glorieux. Nous ne pouvons que nous appuyer sur cette parole de Jésus :

> Je pars vous préparer une place. Quand je serai allé vous la préparer, je reviendrai vous prendre avec moi ; et là où je suis, vous serez aussi.
>
> (Jean 14, 2-3)

Notre foi au Christ ressuscité est gage de notre propre résurrection. Cette relation personnelle est une communion de mystère à mystère, ce qu'est Dieu et ce que nous sommes. Nous nous approprions cette foi de l'intérieur en accueillant la vie qui vient de l'extérieur. Quiconque est présent à lui-même et désire s'ouvrir à une dimension plus profonde de son être, peut passer de foi en soi à la foi en Dieu, de la foi en Dieu à la foi au Christ.

À chacun de se laisser brûler par la chaleur de l'amour du Père, de se laisser envahir par son Esprit qui fait tressaillir le silence jusque dans la poussière de la mort.

> Tes morts revivront, leurs cadavres ressusciteront. Réveillez-vous, criez de joie, vous qui demeurez dans la poussière, car ta rosée, Seigneur, est une rosée de lumière, et la terre ramènera au jour les trépassés.
>
> (Isaïe 26, 19)

# En avant

Notre société marchande écarte de plus en plus la mort de son quotidien car elle en a peur. On ne veut pas la voir, refusant ainsi la fécondité de la vie. On ne prend plus le temps de vivre le deuil d'un être cher. On peut parler de fast-food funéraire, à la carte et à fort prix. Tout est fait rapidement comme si la mort n'était que séparation, dispersion, rupture.

L'abbé Pierre affirmait avec justesse que dans la mort «il y a beaucoup plus de rencontres que de séparations». Ce grand croyant témoignait que nous ne laissons pas les nôtres derrière nous lorsque nous mourons, mais que nous allons à la rencontre de l'ensemble de l'humanité qui est déjà là, dans l'attente d'accueillir celle qui viendra.

Sœur Emmanuelle, décédée sereinement en France dans la nuit du 19 au 20 octobre 2008, parlait aussi d'un Dieu qui était toujours en avant. Le mot qu'elle aimait répéter était arabe : *Yalla!* («En avant!»). Dans son testament spirituel, lu à la messe de requiem en la cathédrale Notre-Dame de Paris, elle avait écrit : «Nous le savons, l'Amour est plus fort que la Mort, le lien d'amitié profonde que nous avons noué ensemble dans la joie, a une valeur d'éternité joyeuse.» Un bibliste dit la même chose en d'autres mots :

> Au-delà de la mort, nous serons reçus par notre comité d'accueil, lequel sera composé de ceux et celles que nous aurons aimés. Conjoint ou conjointe, enfants, parents et grands-parents, famille plus éloignée, cercle d'amis, réseaux de solidarité et, peut-être surtout, groupe des pauvres et des petits dont nous aurons été proches. Dieu aura la chaleur de leur amour, la bonté de leur accueil, la joie de nos retrouvailles. Dieu ne peut nous aimer moins que nos proches. Si je sais qu'un seul être humain me veut avec lui pour l'éternité, je sais que Dieu veut mon salut.

(André Myre, *Vieillir en douce*,
Office de catéchèse du Québec et Novalis, 1997, p. 124)

Nous savons si peu de chose de la mort, de l'au-delà, du ciel. Par contre, nous connaissons le prix de cette vie, d'où l'importance de créer des liens, d'aimer, de pardonner, de vivre la compassion. À chacun de dire « oui » à l'accueil de l'autre, malgré une vie qui ne fut pas toujours belle, ou de « s'enfermer » dans une solitude rébarbative à toute offre d'amour et de fraternité.

Nous ne sommes pas des numéros de loterie jetables après usage, ou des tickets de métro qui ne sont plus valides au-delà de la zone destinée aux voyageurs. La vie ne s'enferme pas dans ses étapes, montantes ou descendantes. Elle demeure une tâche exaltante qui restera toujours incomplète jusqu'à notre mort. Car nous savons que ce qui brille aujourd'hui sera poussière ou cendre demain.

Le sentiment de notre propre mort rend la vie moins insipide, plus intense. Accepter notre finitude et notre imperfection est la clef de notre épanouissement, d'autant plus que le coffre-fort ne suit pas le corbillard. Vivre, c'est être exposé à ce qui vient : la mort et la vie.

## Poème

C'est une sœur bien douce
la mort
qui voyage invisible
à nos côtés
bienveillante et mystérieuse

Elle arrive à son heure
souvent la moins attendue
nous vide de l'intérieur
pour que l'amour s'y engouffre

Elle s'étend
lisse et nue
sur le corps défaillant
le prend par la main
après une nuit d'agonie
pour un dernier baiser
qui le délivre

Jacques Gauthier, *L'ensoleillé*,
Éditions du passage, 2008, p. 65.

# Conclusion

Q ue l'on soit dans la soixantaine ou non, la vie ne se laisse pas enchaîner par les étapes et les années qui passent. Qui pense la connaître se trompe. On est toujours prisonnier de ce que l'on possède. Comment conquérir la vie puisque nous sommes ses héritiers? Nous ne pouvons que l'accueillir. Elle se moque de nos préparations, que ce soit à la retraite, au début de la vieillesse, au moment de la mort. Elle ne demande qu'à jaillir librement, à la mesure de notre soif inextinguible, la seule boisson qui peut nous conduire à la source cachée du cœur.

La vie nous précède sans cesse sur le chemin du désir sans remède, qui devient plus profond et intense selon les manques et les sécheresses. Elle se loge dans les demeures inconnues de notre être, éclaire l'ombre de notre visage intérieur. Nous n'avons pas besoin d'autre lumière lorsque nous avons accès à ce que nous sommes. Vivre, c'est rayonner et déborder, à tout âge.

En apprenant à vivre avec soi-même, l'âge n'a pas d'emprise sur nous. Les calendriers ne nous font pas plier devant la vieillesse et la mort, même si on dénombre les avis de décès de vieilles connaissances. Se croire vieux est une illusion lorsque le cœur s'enracine dans l'espérance d'une joie qui le déleste de tout ce qui n'est pas humain. Fragile comme la vie, la joie puise son eau en nous, lorsque nous nous recueillons, immobiles et attentifs au rythme de l'Esprit.

La joie se rassasie à même notre impuissance à aimer vraiment, au-delà de ce que nous pouvons convoiter. Elle est la boussole qui guide l'aiguille de notre cœur d'enfant vers l'éternité. «En mûrissant, elle gagne en intériorité. En s'intériorisant, elle gagne en intensité. En s'enveloppant de mystère, elle passe en éternité[1]!»

1· Yves Girard, *Le vide «habité»*, Québec, Anne Sigier, 2004, p. 173.

Ce n'est pas ce que nous faisons qui importe, mais la joie d'être ce que nous sommes.

À la soixantaine, on accède à un tournant de la vie où l'on aperçoit l'autre versant, celui d'un dépouillement plus grand. Nous quittons l'univers de l'effort et de la performance pour une simplicité qui désarme et une fragilité qui libère. Nos réussites sont de bien petites choses face à la gloire qui nous habite. Plus nous vieillissons, plus nous nous dépouillons, plus nous nous appartenons, plus nous contemplons. Le cœur devient liquide, le jugement plus souple, le ton moins raide. Nous acceptons de ne pas tout comprendre. Nous savons que nous ne savons pas. Nos mains vides contiennent la meilleure part.

La soixantaine est l'âge de se regarder avec indulgence et de se réjouir que le meilleur est en nous. Nous ne vivons pas en fonction de demain, mais de l'espérance qui envahit le présent. Le temps perdu ne revient plus, nous ressentons à l'occasion un vide, nous gémissons sur notre aridité et notre indigence. Ce n'est plus le temps de gérer sa vie, mais l'occasion de s'immerger et de s'abandonner en elle. Ce que nous admirons chez l'enfant devient le reflet de notre être. Nous applaudissons à ce qui veut naître.

On fait le bilan de sa vie et l'on s'étonne de l'étrangeté de sa propre voix. Nous avions oublié tel parcours, tel pardon, telle blessure… Le chemin reste imprévisible jusqu'à la fin, notre tâche inachevée, car on n'a jamais fini de devenir soi-même. Cet accomplissement se vit là où nous sommes enracinés, à l'âge que nous avons. Le récit de notre vie s'entrecoupe de défis à relever et d'attitudes à développer, autant de balises à suivre pour arriver à bon port, sans trop d'illusions.

## Quelques étapes pour se renforcer

— Solitude : s'abandonner, lâcher prise, consentir à sa nuit.

— Désillusion : accepter ses limites, reconsidérer son passé.

— Doute : authenticité, écouter sa blessure, confiance.

— Dépression : reconnaître sa faiblesse, admettre son côté sombre.

— Indifférence : habiter sa sécheresse, se décentrer de soi pour l'autre.

— Ennui : revoir ses valeurs, se donner, s'émerveiller.

— Conscience de la mort : être créateur, se réaliser dans le service.

— Besoin d'intériorité : être, aimer, prier.

À la soixantaine, nous connaissons assez nos racines pour larguer les amarres et partir au grand large de la confiance. Nous ne luttons plus contre des moulins à vent. Nous nous allégeons des fausses sécurités pour sonder la profondeur de notre puits. Nous acceptons d'être conquis, d'avancer dans la nuit de la sécheresse spirituelle, sans assises. Nous nous laissons vider devant la maladie et la mort en nous avouant que de toute façon nous serons toujours mal préparés. La fin nous éblouit déjà. Notre cœur s'apaise devant l'infini, car un amour nous attend, écrit sœur Geneviève, carmélite, décédée à Montpellier en 1973, dans ce poème retrouvé dans ses papiers. En voici un extrait :

> Ce qui se passera de l'autre côté,
> Quand tout pour moi
> Aura basculé dans l'éternité,
> Je ne le sais pas.
> Je crois, je crois seulement
> Qu'un Amour m'attend.
>
> Je sais pourtant qu'alors il me faudra faire,
> Pauvre et sans poids,
> Le bilan de moi.
> Mais ne pensez pas que je désespère.
> Je crois, je crois tellement
> Qu'un Amour m'attend.
>
> C'est dans un Amour que je descends doucement.
> Si je meurs, ne pleurez pas :
> C'est un Amour qui me prend.
> Si j'ai peur – et pourquoi pas ? –
> Rappelez-moi simplement
> Qu'un Amour, un Amour m'attend.

La vie commence à la soixantaine, comme elle commence à chaque âge : jour de sagesse et d'intériorité, de discernement et de liberté. Nous avançons à coups d'aile vers une fête sans fin, à la rencontre de l'Auteur du septième jour.

Il suffit d'être et de se laisser embrasser.

C'est le temps du repos fécond, de l'inutile gratuité, de l'unique nécessaire.

· · · · · · · · · · · · · · · · · · · · · · · · · · · · · · · · · · · ·

### Pour les chrétiens

Plus le grand âge rafle ce qu'il reste de vitalité, plus c'est le temps de se laisser aimer et de s'abandonner en Dieu, comme en témoigne ce texte d'un vieil oblat de Marie Immaculée :

> On perd la mémoire
> pour ne penser qu'à Dieu ;
> On perd l'entendement
> pour n'écouter que Dieu ;
> On perd ses yeux
> pour ne voir que Dieu ;
> On perd ses êtres chers
> pour ne s'attacher qu'à Dieu ;
> et on perd sa maison
> pour désirer uniquement
> la Maison de Dieu.

(Cité dans André Daigneault, *op. cit.*, p. 172)

Nous entrons en vacances chez Dieu. Il respire mieux en nous, ses enfants. Nous lui révélons sa propre beauté en l'accueillant comme un enfant. Chacun de ses mots vibre de densité. On s'assoit de plus en plus tôt dans son silence d'amour comme devant la mer, pour méditer sa parole. Il monte à nos pieds comme une marée pour nous toucher de son baiser. Y a-t-il parole plus belle que cette étreinte mystérieuse d'un Dieu qui nous arrache à la mort pour nous plonger dans sa vie ?

· · · · · · · · · · · · · · · · · · · · · · · · · · · · · · · · · · · ·

# Remerciements

Je remercie les personnes qui ont partagé avec moi leurs expériences de la soixantaine. J'espère qu'elles se sont reconnues au fil de ces pages.

Un remerciement spécial à André Daigneault, prêtre, qui marie si bien psychologie et foi. Il a su me fournir au bon moment quelques citations appropriées.

Merci à Christophe Rémond, ami et éditeur aux Presses de la Renaissance, qui m'a aiguillonné pour que je rédige cet ouvrage.

Je rends hommage à mon épouse Anne-Marie qui m'accompagne depuis trente ans sur les chemins parfois sinueux, mais toujours exaltants, des âges de la vie adulte. Elle m'est confiée comme je lui suis confié, au-delà même de la mort.

# Table

## ESSAIS

*Patrice de La Tour du Pin*, Médiaspaul/Éd. Paulines, 1987.

*La théopoésie de Patrice de La Tour du Pin*, Bellarmin/Cerf, 1989.

*Les défis du jeune couple*, Le Sarment-Fayard, 1991.

*Que cherchez-vous au soir tombant ?* Cerf/Médiaspaul, 1995.

*Thérèse de l'Enfant-Jésus, docteur de l'Église*, Anne Sigier, 1997.

*L'expérience de Dieu avec Jean de la Croix*, Fides, 1998.

*Prier 15 jours avec Patrice de La Tour du Pin*, Nouvelle Cité, 1999.

*Pèlerin en terre d'exil*, Anne Sigier, 1999.

*La crise de la quarantaine*, Le Sarment-Fayard, 1999.

*L'expérience de Dieu avec Paul de Tarse*, Fides, 2000.

*Entretiens avec Thérèse de Lisieux*, Novalis/Bayard, 2001.

*Thérèse de Lisieux, une espérance pour les familles*, Béatitudes, 2003.

*J'ai soif. De la petite Thérèse à Mère Teresa*, Parole et Silence, 2003.

*Les mots de l'Autre*, Novalis, 2004 (nouvelle édition).

*Les saints, ces fous admirables*, Novalis/Béatitudes, 2005.

*Notre cœur n'était-il pas brûlant ?*, Parole et Silence/Bellarmin, 2007.

*Prières de toutes les saisons*, Bellarmin/Parole et Silence, 2007.

*Tous appelés à la sainteté*, Novalis/Parole et Silence, 2008.

## RÉCITS

*Toi, l'amour. Thérèse de Lisieux*, Anne Sigier, 1997.

*Le voyage de l'absente*, Écrits des Hautes-Terres, 1999.

*Fioretti de sainte Thérèse*, Novalis, 2005.

*Thérèse de l'Enfant-Jésus au milieu des hommes*, Parole et Silence, 2005.

## ROMAN

*Le secret d'Hildegonde*, Vents d'Ouest/Le Sarment, 2000/2001.

Pour en savoir plus
sur les Presses de la Renaissance
(catalogue complet, auteurs, titres,
extraits de livres, revues de presse,
débats, conférences…),
vous pouvez consulter notre site Internet :

www.presses-renaissance.com

*Composé par Nord Compo Multimédia*
*7, rue de Fives, 59650 Villeneuve-d'Ascq*

Code éditeur : R00429
Dépôt légal : janvier 2009
Imprimé en France par Laballery
N° d'impression : 901138